초 ... 트 집중 완성

교과특강

초6

F2

비율 그래프

에듀히어로
Edu HERO

"진짜 히어로는 우리 아이들입니다!"

에듀히어로는
우리 아이들이 밝고 건강한 내일을 꿈꿀 수 있도록
긍정적이고 효과적인 교육 서비스를 제공하는 것을
최우선 목표로 하고 있습니다.

그 존재만으로도 든든한 히어로처럼 아이들의 곁에서 힘이 되어주고,
나아가 아이들 각자가 스스로의 인생 속 히어로가 될 수 있도록

우리는 진심과 열정을 다해 아이들과 함께 할 것을 약속 드립니다.

네이버 카페

교재 상세 소개와 진단 테스트
및 유용하게 풀 수 있는
학습 자료를 다운로드 해 보세요.

인스타그램

에듀히어로 인스타그램을
팔로우하시면 다양한 이벤트와
신간 소식을 빠르게 만나보실
수 있습니다.

카카오톡 채널

자녀 수학 공부 상담 및
자유로운 질문을 남겨 주세요.
함께 고민하고
답변해 드리겠습니다.

히어로컨텐츠 HEROCONTENS

발행일: 2023년 4월 **발행인**: 이예찬
기획개발: 두줄수학연구소
디자인: 4BD STUDIO **삽화**: 1000DAY
발행처: 히어로컨텐츠
주소: 서울특별시 금천구 서부샛길 632, 7층(대륭테크노타운5차)
전화: 02-862-2220 **팩스**: 02-862-2227
지원카페: cafe.naver.com/eduherocafe **인스타그램**: @edu__hero **카카오톡**: 에듀히어로

초등 수학 핵심파트 집중 완성 교과특강

수학을 잘 하기 위해서는 1) 수와 연산 2) 도형 3) 측정 4) 규칙성 5) 자료와 가능성 등 초등 수학 5대 학습 영역을 고르게 학습해야 합니다.
다른 교과 과목에 비해 많은 시간을 수학을 학습하는 데 할애하고 있지만 아쉽게도 대부분은 연산 영역에 편중되어 있습니다.
최근 들어 '도형' 등 연산 이외의 다른 영역으로 학습을 확장하는 교재들이 출간되고 있지만 여전히 학년별로 다양한 학습 영역과 필수 주제를 체계적으로 안내해 주는 학습지는 많지 않은 것이 현실입니다.
그런 이유로 교과특강은 학년별 필수 주제를 기본 개념부터 응용, 사고력까지 충분하게 학습하고 훈련할 수 있도록 개발되었습니다.
수학을 잘 하고 싶은 학생들에게 노력한 만큼의 성장을 이루어내는 데 교과특강은 좋은 토양과 밑거름이 되어줄 것입니다.

초등 수학 핵심파트 집중 완성 교과특강은

1. '자료 해석 능력'을 집중적으로 키웁니다.

앞으로의 학습은 주어진 표와 그래프를 보고 그 의미를 해석하고 추론하는 '자료 해석 능력'을 요구합니다. 실제로 초등 전학년 뿐만 아니라 중등 과정에서도 '자료 해석'은 학습자의 문제해결력을 확인하는 중요한 소재가 되고 있습니다. 다양한 표와 그래프를 이해하고 해석하는 학습은 초등 과정부터 미리 준비하고 집중적으로 훈련할 필요가 있습니다.

2. '측정', '규칙성' 등 필수 영역임에도 쉽게 지나칠 수 있는 주제를 체계적으로 학습합니다.

길이, 무게, 시간, 어림하기 등 초등 과정에서 쉽게 지나치기 쉬운 '측정'과 추론 능력을 길러주는 '규칙성'을 집중적으로 학습합니다.

3. 복습과 예습으로 학년과 학년 사이의 징검다리 역할을 합니다.

1학년에서 2학년, 2학년에서 3학년, 3학년에서 4학년 등 학년이 올라갈수록 특정 영역에서 수학이 갑자기 어려워지는 순간이 옵니다. 교과특강은 각 학년에서 반드시 짚고 넘어가야 하는 주제를 복습하면서 다음 학년을 위한 예습까지 할 수 있도록 개발되었습니다.

4. 문제해결력과 사고력을 길러줍니다.

기본적인 개념을 바탕으로 이를 응용하고 활용하는 문제해결력과 생각하는 힘을 길러줍니다.

초등 수학 핵심파트 집중 완성 **교과특강**은

7세부터 6학년까지 총 7단계 21권(단계별 3권)으로 구성되어 있으며 각 권은 하루에 1장씩 주 5회, 총 4주간 체계적으로 학습할 수 있습니다.
매주 5일차의 학습이 끝난 뒤엔 '생각더하기'를 통해 창의력과 사고력을 기르고, 4주의 학습이 끝난 뒤엔 '링크'와 '형성평가'로 관련 주제를 학습하고 교과 수학을 완성할 수 있습니다.

대 상	단 계	구 성
7세 ~ 1학년	P	P1, P2, P3
1학년	A	A1, A2, A3
2학년	B	B1, B2, B3
3학년	C	C1, C2, C3
4학년	D	D1, D2, D3
5학년	E	E1, E2, E3
6학년	F	F1, F2, F3

<교과 수학 시리즈 F단계 로드맵>

에듀히어로의 교과 수학 시리즈를 체계적으로 학습하기 위한 로드맵입니다.
예습을 하며 집중적으로 학습하려면 '영역별 집중 학습'을,
교과서 진도에 맞추어 학습하려면 '교과 진도 맞춤 학습'을 권장드립니다.

[영역별 집중 학습]

1월	2월	3월	4월	5월	6월
교과연산 F0, 교과도형 F1	교과연산 F1, 교과도형 F2	교과연산 F2, 교과도형 F3	교과연산 F3, 교과특강 F1	교과특강 F2	교과특강 F3

[교과 진도 맞춤 학습]

1월	2월	3월	4월	5월	6월	7월	8월	9월	10월
교과연산 F0	교과연산 F1	교과도형 F1	교과특강 F1	교과특강 F2	교과연산 F2	교과연산 F3	교과도형 F2	교과특강 F3	교과도형 F3

교과특강은 교과 수학을 완성합니다.

주제별 학습

생각더하기

초등 수학을 주제별로 집중 학습합니다. 각 주차의 마지막에 있는 **생각더하기**로 문제해결력을 기릅니다.

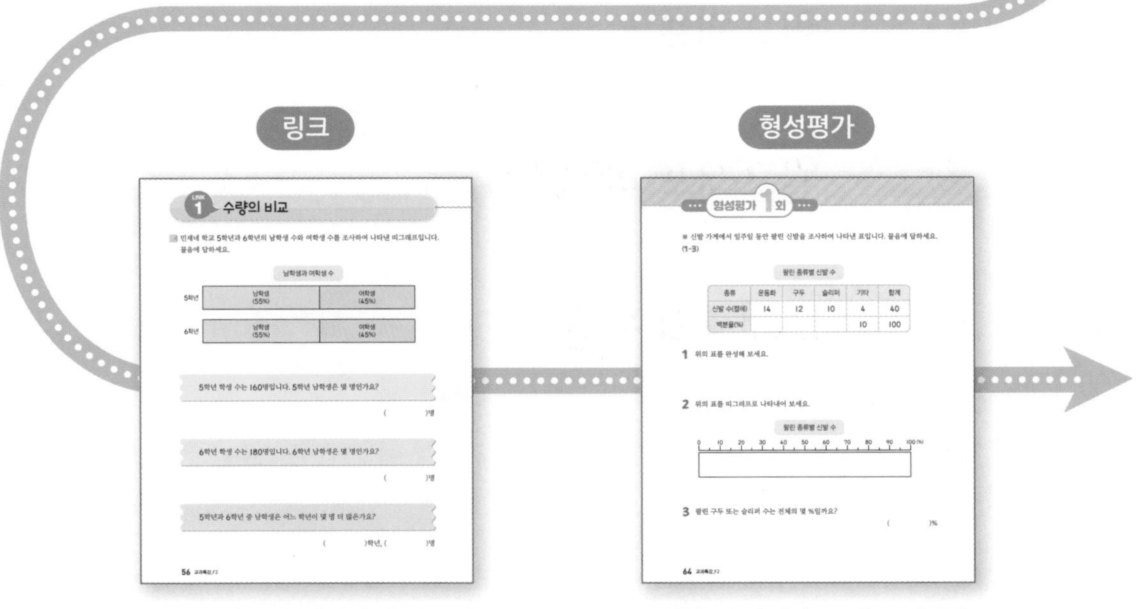

주제별 학습과 연결하여 사고력과 창의력을 향상시킬 수 있는 내용을 학습합니다.

2회의 형성평가로 배운 내용을 잘 알고 있는지 확인합니다.

이 책의 차례

1주차 띠그래프 ········ 7

2주차 띠그래프 해석하기 ········ 19

3주차 원그래프 ········ 31

4주차 원그래프 해석하기 ········ 43

링크 그래프의 활용 ········ 55

형성평가 ········ 63

1 주차

띠그래프

1일차 백분율로 나타낸 표 ········· 8

2일차 띠그래프 알기 ········· 10

3일차 띠그래프로 나타내기 (1) ········· 12

4일차 띠그래프로 나타내기 (2) ········· 14

5일차 띠그래프 그리기 ········· 16

생각 더하기 용돈의 쓰임새 ········· 18

1일차 백분율로 나타낸 표

지효네 학교 6학년 1반과 2반 학생들이 태어난 계절을 조사하여 나타낸 표입니다. 전체 학생 수에 대한 태어난 계절별 학생 수의 백분율을 구하여 표를 완성해 보세요.

1반의 태어난 계절별 학생 수

계절	봄	여름	가을	겨울	합계
학생 수(명)	3	5	8	4	20
백분율(%)	15				100

봄: $\frac{3}{20} \times 100 = 15$ (%)

여름: $\frac{5}{20} \times 100 = \square$ (%)

가을: $\frac{8}{20} \times 100 = \square$ (%)

겨울: $\frac{4}{20} \times 100 = \square$ (%)

2반의 태어난 계절별 학생 수

계절	봄	여름	가을	겨울	합계
학생 수(명)	6	4	5	10	25
백분율(%)					100

봄: $\frac{6}{25} \times 100 = \square$ (%)

여름: $\frac{4}{25} \times \square = \square$ (%)

가을: $\frac{\square}{25} \times 100 = \square$ (%)

겨울: $\frac{10}{\square} \times 100 = \square$ (%)

농장에서 생산한 채소의 양을 조사하여 나타낸 표입니다. 전체 생산량에 대한 채소별 생산량의 백분율을 구하여 표를 완성하고 빈칸에 알맞은 수를 써넣으세요.

채소별 생산량

채소	양파	당근	오이	호박	합계
생산량(kg)	100	40	10	50	200
백분율(%)	50				100

당근 생산량은 □kg입니다.

당근 생산량은 전체의 □%입니다.

백분율의 전체 합은 □%입니다.

호박 생산량은 오이 생산량의 □배입니다.

비율에 100을 곱해서 나온 값에 %를 붙이면 백분율로 나타낼 수 있습니다.
전체 생산량에 대한 양파 생산량의 비율을 구할 때 기준량은 전체 생산량, 비교하는 양은 양파 생산량입니다.
따라서 전체 생산량에 대한 양파 생산량은 $\frac{100}{200} \times 100 = 50$(%)입니다.

2일차 띠그래프 알기

진혁이네 학교 학생 회장 선거에서 후보자별 득표수를 조사하여 나타낸 표와 띠그래프입니다. 빈칸에 알맞은 수 또는 말을 써넣으세요.

학생 회장 후보자별 득표수

후보	가	나	다	라	마	합계
득표수(표)	160	100	80	40	20	400
백분율(%)	40	25	20	10	5	100

학생 회장 후보자별 득표수

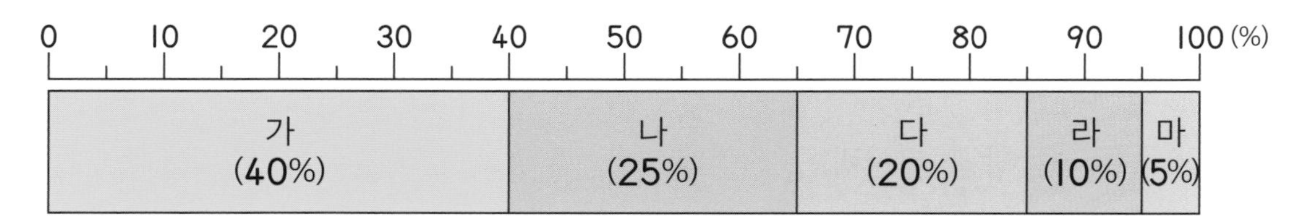

가 후보의 득표수는 전체의 ☐%입니다.

라 후보의 득표수는 전체의 ☐%입니다.

전체의 20%를 받은 후보는 ☐ 후보입니다.

전체의 5%를 받은 후보는 ☐ 후보입니다.

지혜네 반 학생 25명이 좋아하는 색깔을 조사하여 나타낸 띠그래프입니다. 올바른 말에 ◯표, 틀린 말에 ╳표 하세요.

좋아하는 색깔별 학생 수

파란색 (32%)	빨간색 (20%)	초록색 (20%)	노란색 (16%)	기타 (12%)

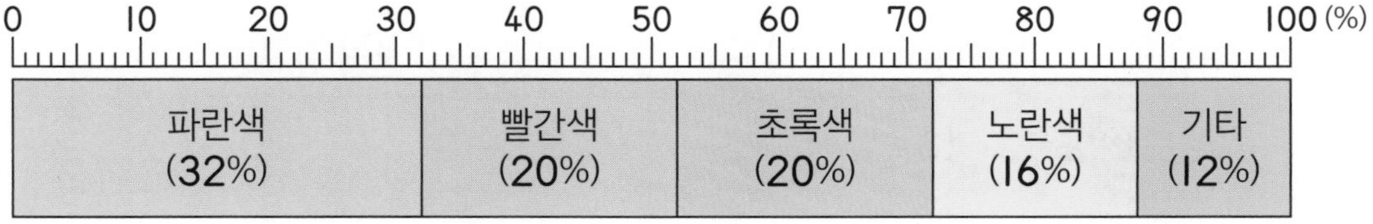

빨간색을 좋아하는 학생 수는 전체의 32%입니다. ( )

빨간색과 초록색을 좋아하는 학생 수의 비율이 같습니다. ( )

전체의 16%를 차지하는 색깔은 노란색입니다. ( )

파란색을 좋아하는 학생은 32명입니다. ( )

전체에 대한 각 부분의 비율을 띠 모양에 나타낸 그래프를 띠그래프라고 합니다.
띠그래프는 비율 그래프로 자료의 수량을 백분율로 나타낸 그래프입니다.

좋아하는 색깔별 학생 수

파란색 (32%)	빨간색 (20%)	초록색 (20%)	노란색 (16%)	기타 (12%)

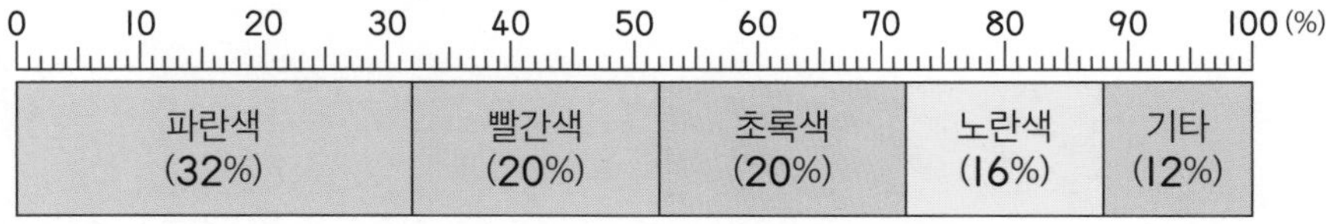

그래프에서 자료의 수가 너무 적어서 따로 표현하기 힘들 때 기타에 넣어서 표현합니다.

3일차 띠그래프로 나타내기 (1)

현성이네 반 학생들이 좋아하는 빵을 조사하여 나타낸 표입니다. 백분율을 구하여 표를 완성하고 띠그래프를 완성해 보세요.

좋아하는 빵 종류별 학생 수

종류	피자빵	크림빵	야채빵	팥빵	합계
학생 수(명)	16	12	8	4	40
백분율(%)	40				

피자빵: $\frac{16}{40} \times 100 = 40\%$

크림빵: $\frac{12}{40} \times 100 = \square$ (%)

야채빵: $\frac{8}{40} \times 100 = \square$ (%)

팥빵: $\frac{4}{40} \times 100 = \square$ (%)

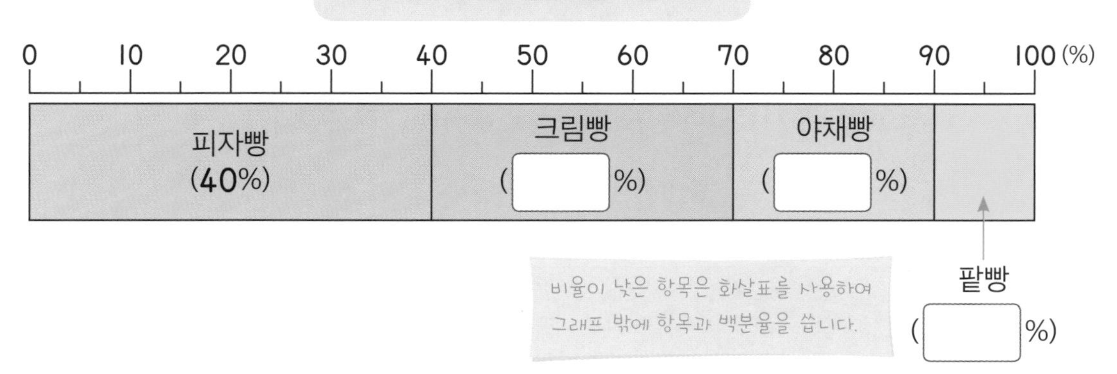

유하네 마을에서 생산한 곡물의 양을 조사하여 나타낸 표입니다. 백분율을 구하여 표를 완성하고 띠그래프를 완성해 보세요.

곡물 생산량

곡물	쌀	보리	귀리	수수	합계
생산량(kg)	400	200	160	40	800
백분율(%)					

쌀: $\frac{400}{800} \times \square = \square$(%)

보리: $\frac{200}{800} \times \square = \square$(%)

귀리: $\frac{\square}{800} \times 100 = \square$(%)

수수: $\frac{40}{\square} \times 100 = \square$(%)

곡물 생산량

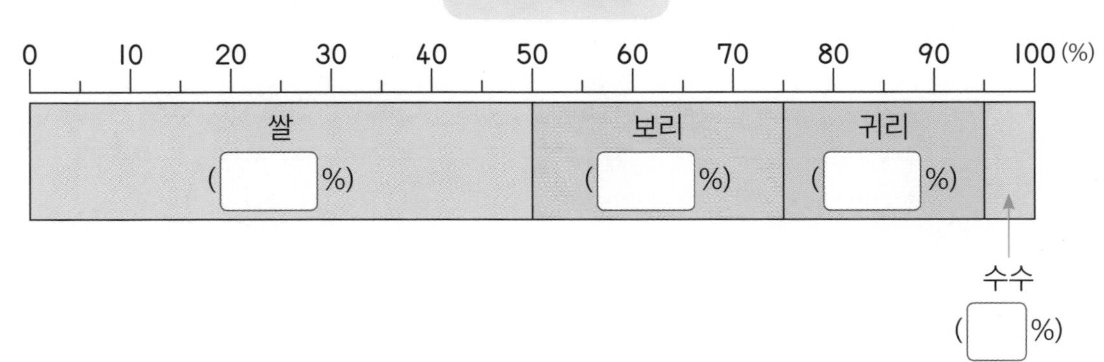

띠그래프로 나타내기 (2)

미소네 마을에 있는 종류별 나무 수를 조사하여 나타낸 표입니다. 표를 완성하여 빈칸에 알맞은 수를 써넣고 띠그래프를 완성해 보세요.

종류별 나무 수

종류	소나무	은행나무	단풍나무	느티나무	기타	합계
나무 수(그루)	150	125	100	50	75	
백분율(%)	30					

마을에 있는 나무는 모두 ☐ 그루입니다.

소나무의 수는 전체의 ☐ %입니다.

나무 종류별 백분율을 모두 더하면 ☐ %입니다.

종류별 나무 수

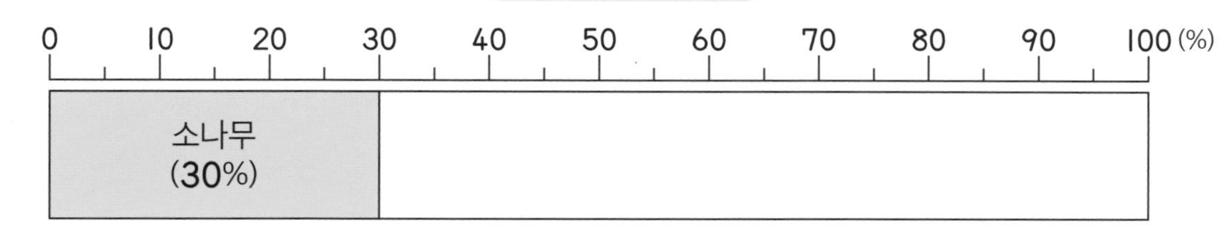

백분율의 크기만큼 선을 그어 띠를 나누고, 나눈 부분에 각 항목과 백분율을 씁니다.

표와 띠그래프를 완성해 보세요.

형제 수별 학생 수

형제 수	없음	1명	2명	3명 이상	합계
학생 수(명)	6	10	3		20
백분율(%)	30				

형제 수별 학생 수

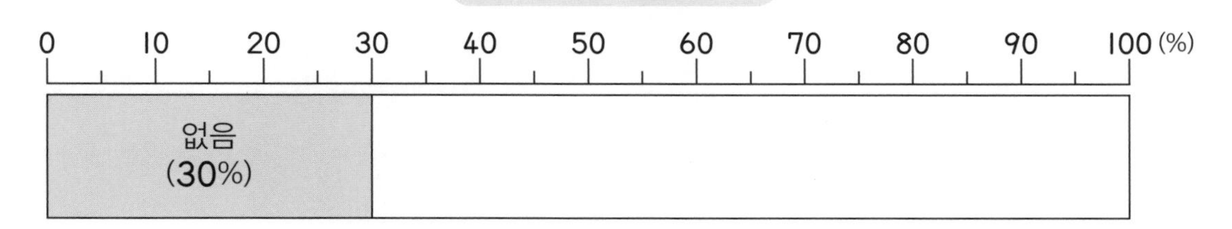

알뜰 시장에서 팔고 싶은 물건별 학생 수

물건	학용품	책	옷	장난감	기타	합계
학생 수(명)		60	60	45	30	300
백분율(%)					10	

알뜰 시장에서 팔고 싶은 물건별 학생 수

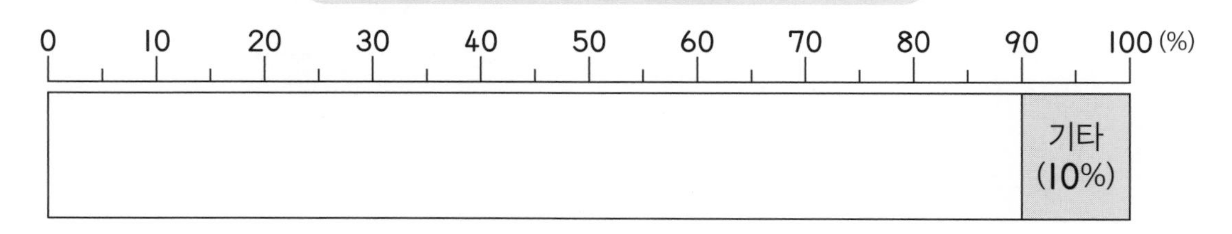

5일차 띠그래프 그리기

글을 읽고 띠그래프로 나타내어 보세요.

연지네 학교 학생들을 대상으로 여름 방학에 가고 싶은 장소를 조사하였더니 수영장 50%, 바다 25%, 산 15%, 기타 10%입니다.

여름 방학에 가고 싶은 장소별 학생 수

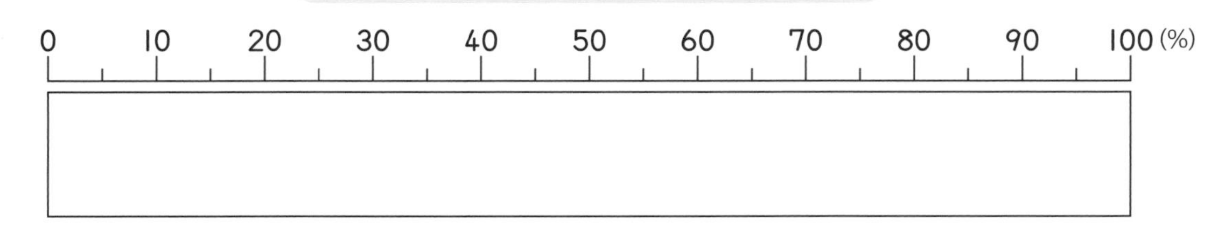

재원이네 마을에서 일주일 동안 나온 재활용 쓰레기 양을 조사하였더니 종이 35%, 플라스틱 30%, 유리 10%, 캔 10%, 기타 15%입니다.

종류별 재활용 쓰레기 양

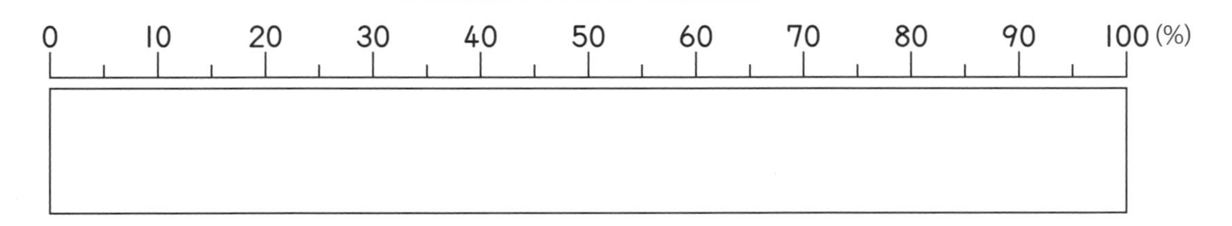

글을 읽고 표를 완성하여 띠그래프로 나타내어 보세요.

진하네 학교 학생 500명을 대상으로 배우고 싶은 운동을 조사하였더니 태권도가 200명, 축구가 100명, 배드민턴이 100명, 수영이 75명, 농구가 15명, 테니스가 10명입니다.

배우고 싶은 운동별 학생 수

운동	태권도	축구	배드민턴	수영	기타	합계
학생 수(명)						500
백분율(%)						100

자료의 수가 적어서 따로 표현하기 어려울 때 기타로 묶어 나타냅니다.

배우고 싶은 운동별 학생 수

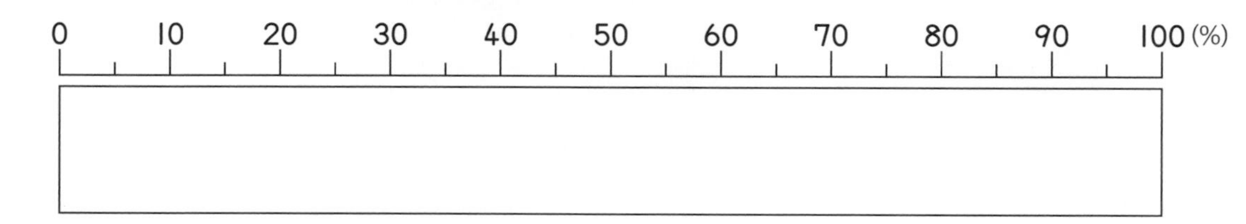

용돈의 쓰임새

용준이는 일주일 동안 용돈 3000원을 받아서 다음과 같이 썼습니다. 용돈의 쓰임새별 금액을 띠그래프로 나타내어 보세요.

> 용준: 받은 용돈 중에서 1200원으로 간식을 사고, 900원은 저금을 하고, 600원으로 학용품을 사고, 남은 금액은 기부를 했어.

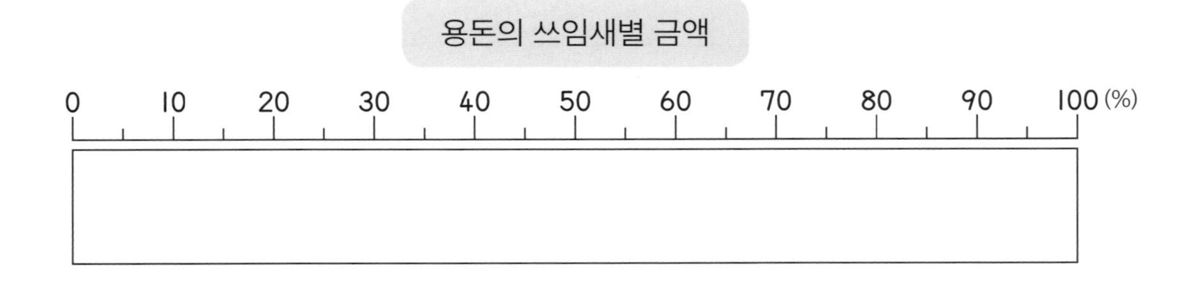

2
주차

띠그래프 해석하기

1일차 띠그래프의 내용 (1) ······ 20
2일차 띠그래프의 내용 (2) ······ 22
3일차 수량 구하기 (1) ······ 24
4일차 수량 구하기 (2) ······ 26
5일차 비율과 수량 ······ 28
생각 더하기 가구 수의 변화 ······ 30

1일차 띠그래프의 내용 (1)

건우네 반 학생들이 생일에 받고 싶은 선물을 조사하여 나타낸 띠그래프입니다. 빈칸에 알맞은 수 또는 말을 써넣으세요.

받고 싶은 선물별 학생 수

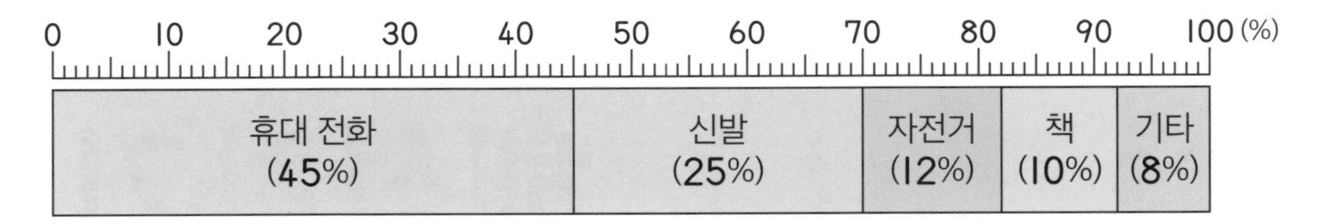

가장 많은 학생이 받고 싶은 선물은 [ ] 입니다.

기타를 제외하고 가장 적은 학생이 받고 싶은 선물은 [ ] 입니다.

둘째로 높은 비율을 차지하는 선물의 비율은 [ ] %입니다.

휴대 전화 또는 신발을 받고 싶은 학생 수는 전체의 [ ] %입니다.

휴대 전화와 신발을 받고 싶은 학생 수의 비율을 더합니다.

자전거 또는 책을 받고 싶은 학생 수는 전체의 [ ] %입니다.

전체의 $\frac{1}{4}$을 차지하는 선물은 [ ] 입니다.

월 일

해인이네 학교 화단에 심은 꽃의 수를 조사하여 나타낸 띠그래프입니다. 물음에 답하세요.

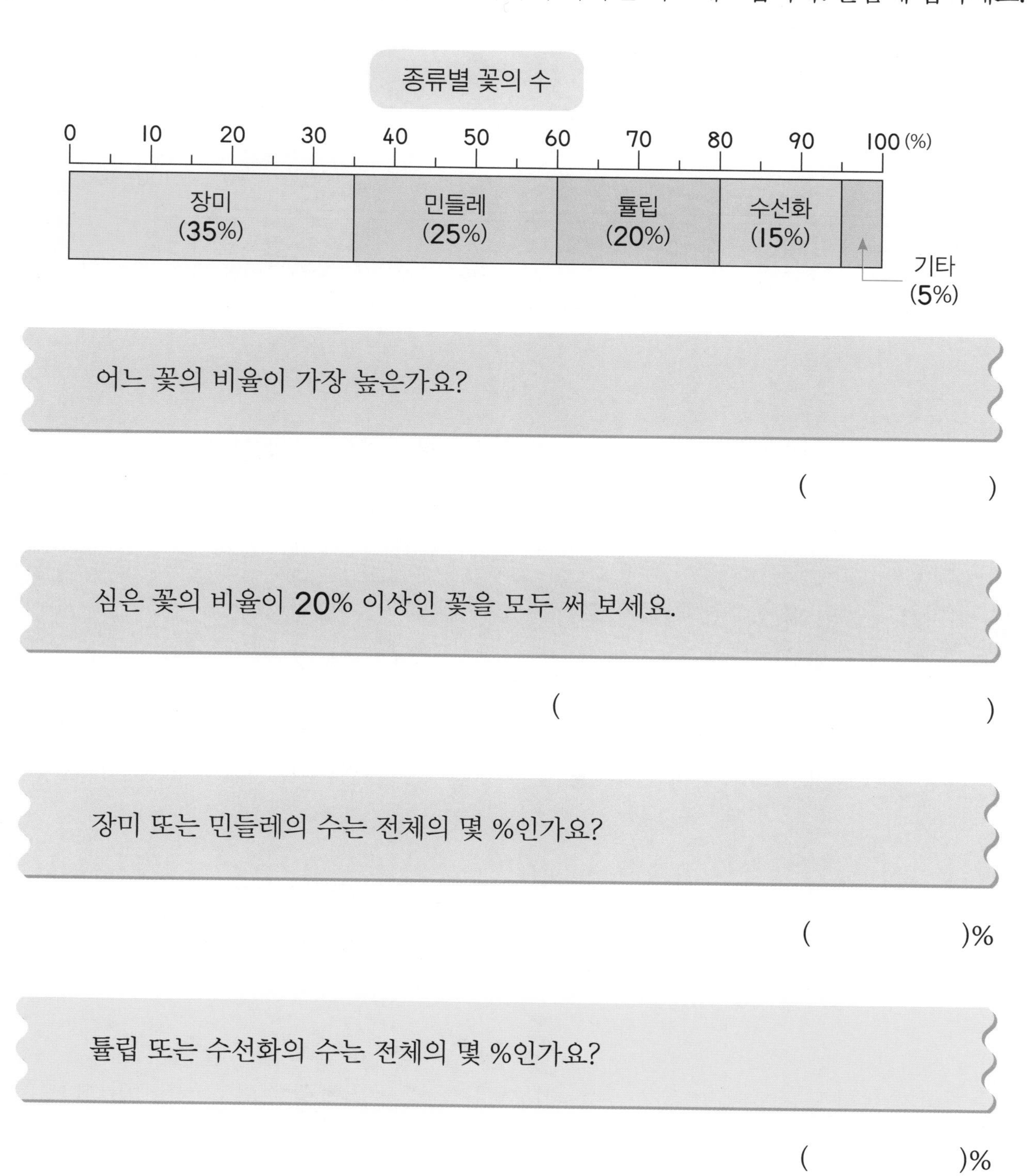

2일차 띠그래프의 내용 (2)

은서네 학교 학생들의 취미를 조사하여 나타낸 띠그래프입니다. 빈칸에 알맞은 수 또는 말을 써넣으세요.

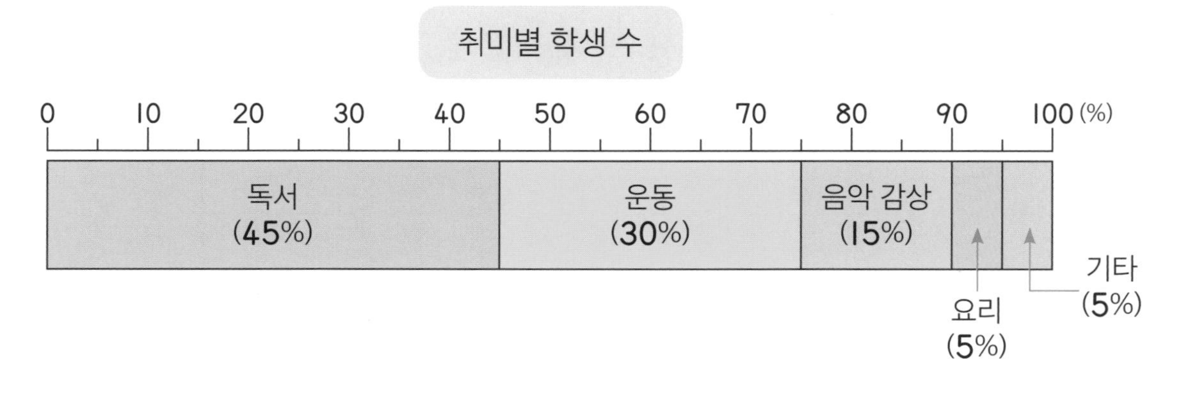

취미가 독서인 학생 수는 취미가 음악 감상인 학생 수의 ☐배입니다.

취미가 운동인 학생 수는 취미가 요리인 학생 수의 ☐배입니다.

학생 수가 음악 감상의 2배인 취미는 ☐입니다.

학생 수가 요리의 3배인 취미는 ☐입니다.

취미가 독서 또는 운동인 학생 수는 취미가 음악 감상인 학생 수의 ☐배입니다.

농장에 있는 동물의 수를 조사하여 나타낸 띠그래프입니다. 물음에 답하세요.

종류별 동물 수

닭 (□%)	돼지 (□%)	염소 (15%)	소 (10%)	기타 (15%)

닭의 수는 소의 수의 4배입니다. 닭의 수는 전체의 몇 %인가요?

( )%

닭의 수는 돼지의 수의 2배입니다. 돼지의 수는 전체의 몇 %인가요?

( )%

돼지의 수는 소의 수의 몇 배인가요?

( )배

닭 또는 돼지의 수는 염소의 수의 몇 배인가요?

( )배

3일차 수량 구하기 (1)

한승이네 학교 학생들의 혈액형을 조사하여 나타낸 띠그래프입니다. 빈칸에 알맞은 수를 써넣으세요.

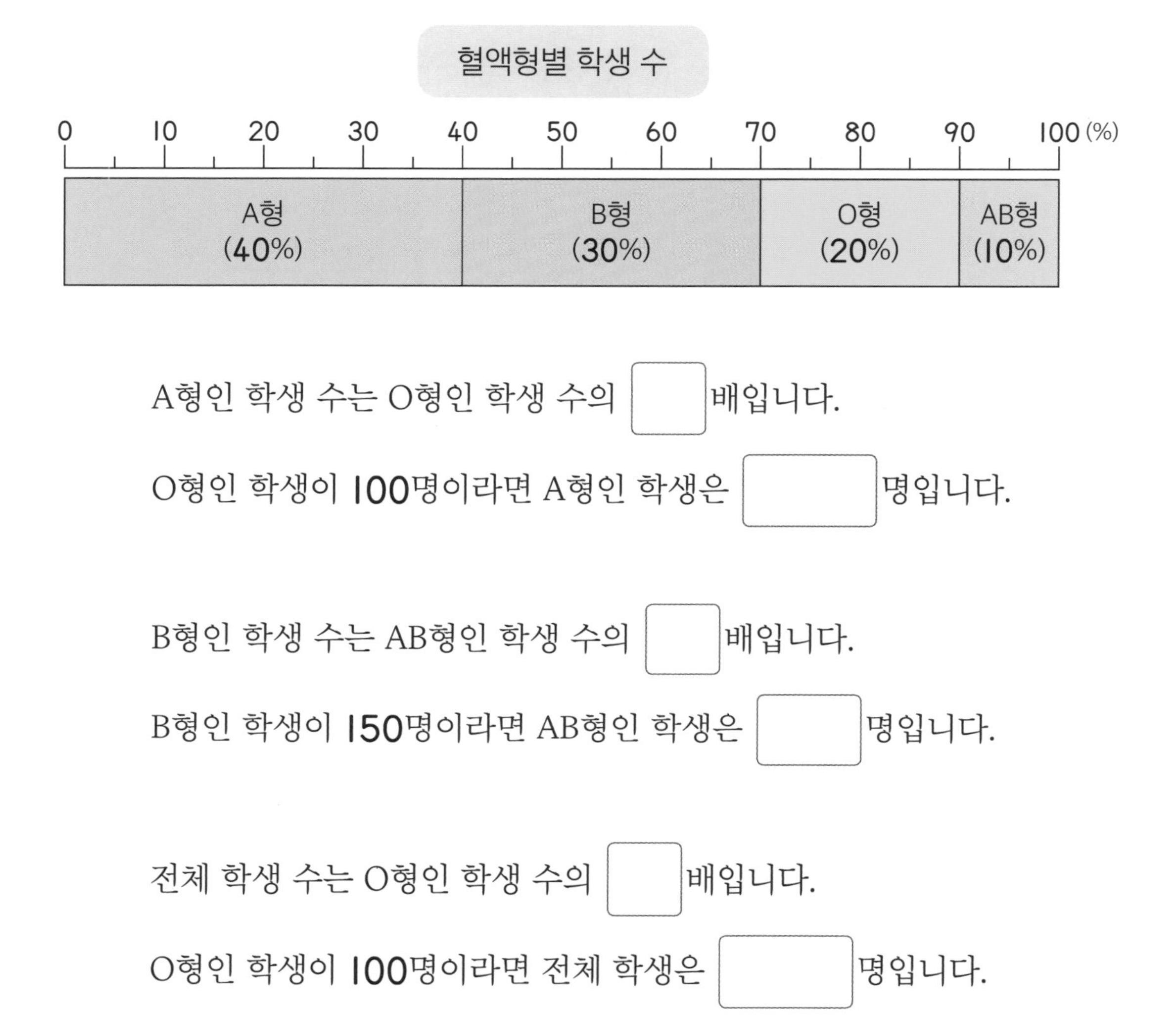

A형인 학생 수는 O형인 학생 수의 ☐배입니다.

O형인 학생이 100명이라면 A형인 학생은 ☐명입니다.

B형인 학생 수는 AB형인 학생 수의 ☐배입니다.

B형인 학생이 150명이라면 AB형인 학생은 ☐명입니다.

전체 학생 수는 O형인 학생 수의 ☐배입니다.

O형인 학생이 100명이라면 전체 학생은 ☐명입니다.

[띠그래프에서 수량을 구하는 방법 1]
한 비율이 다른 비율의 **몇 배**인지 구하여 수량을 구합니다.
전체 학생 수의 비율(100%)은 O형인 학생 수의 비율(20%)의 5배입니다.
따라서 전체 학생이 500명이라면 O형인 학생은 500명을 5로 나눈 100명입니다.

월 일

현수네 학교 학생들이 배우고 싶은 외국어를 조사하여 나타낸 띠그래프입니다. 물음에 답하세요.

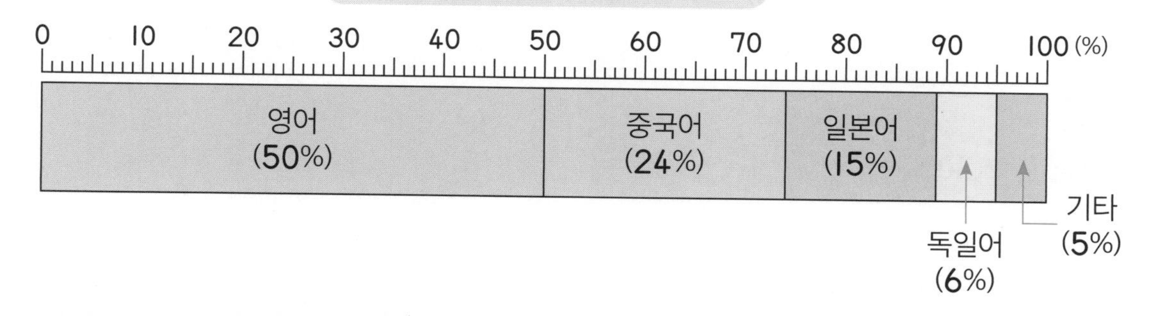

독일어를 배우고 싶은 학생이 24명이라면 중국어를 배우고 싶은 학생은 몇 명인가요?

( )명

일본어를 배우고 싶은 학생이 60명이라면 기타에 속하는 학생은 몇 명인가요?

( )명

영어를 배우고 싶은 학생이 200명이라면 전체 학생은 몇 명인가요?

( )명

4일차 수량 구하기 (2)

세희네 학교 학생 300명의 장래 희망을 조사하여 나타낸 띠그래프입니다. 빈칸에 알맞은 수를 써넣으세요.

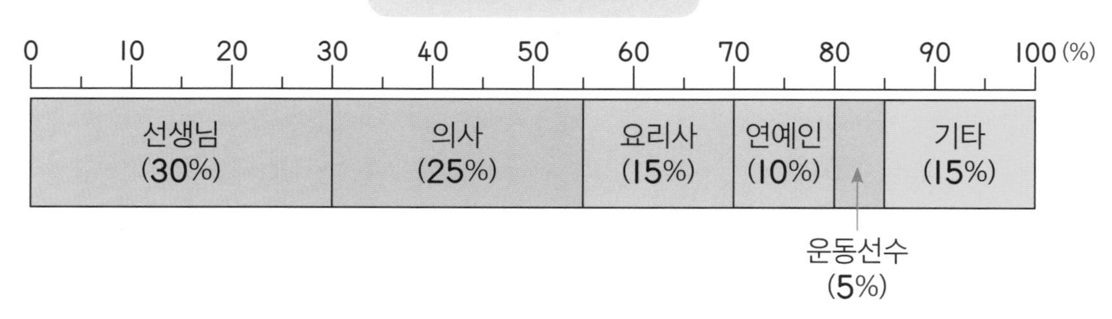

선생님: $300 \times \frac{30}{100} = 90$(명)

의사: $300 \times \frac{25}{100} = \square$(명)

요리사: $300 \times \frac{\square}{100} = \square$(명)

연예인: $\square \times \frac{10}{100} = \square$(명)

운동선수: $300 \times \frac{\square}{100} = \square$(명)

기타: $\square \times \frac{15}{100} = \square$(명)

[띠그래프에서 수량을 구하는 방법 2]

전체 수량에 **비율을 곱하여** 수량을 구합니다.

장래 희망이 선생님인 학생 수는 전체의 30%입니다. 따라서 전체 학생이 300명이라면 장래 희망이 선생님인 학생은 300의 30%, 즉 $300 \times \frac{30}{100} = 90$(명)입니다.

물음에 답하세요.

준이네 반 학생 25명이 좋아하는 과일을 조사하여 나타낸 띠그래프입니다. 포도를 좋아하는 학생은 몇 명일까요?

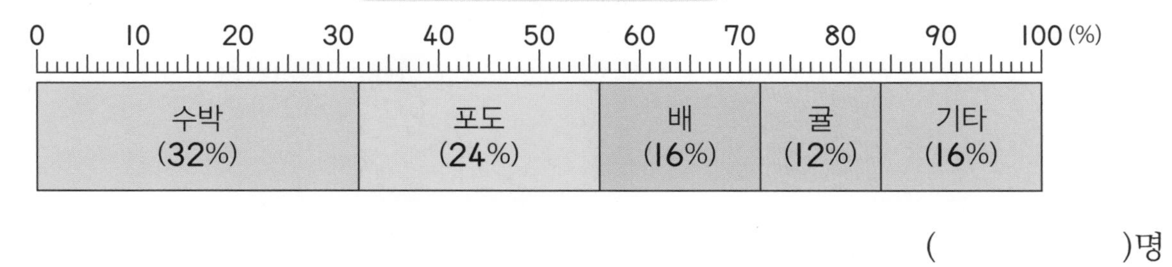

( )명

일주일 동안 박물관을 관람한 연령별 방문자 수를 조사하여 나타낸 띠그래프입니다. 전체 방문자 수가 1200명이라면 40세 이상은 몇 명일까요?

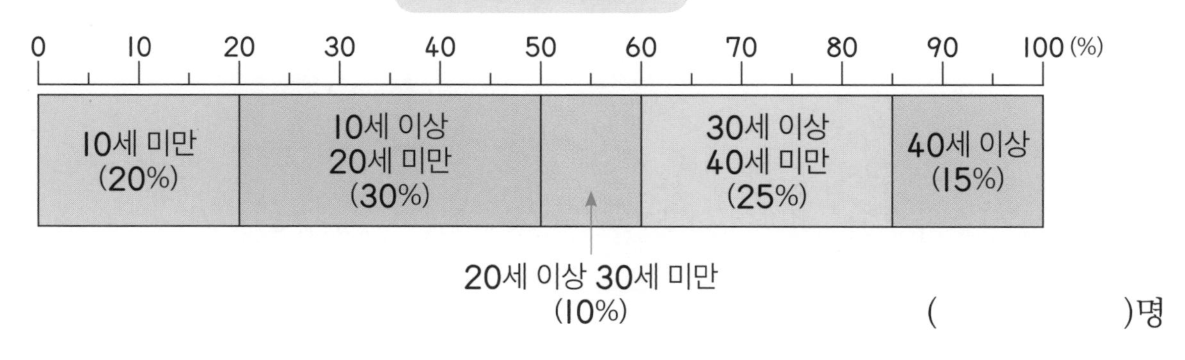

( )명

5일차 비율과 수량

수인이네 학교 6학년 학생들이 어제 독서한 시간을 조사하여 나타낸 띠그래프이고, 40분 이상 독서한 학생이 50명입니다. 물음에 답하세요.

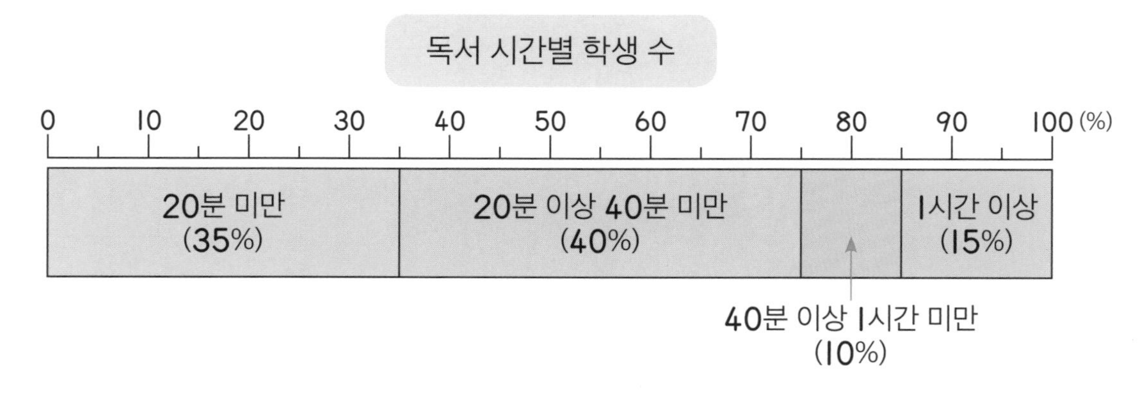

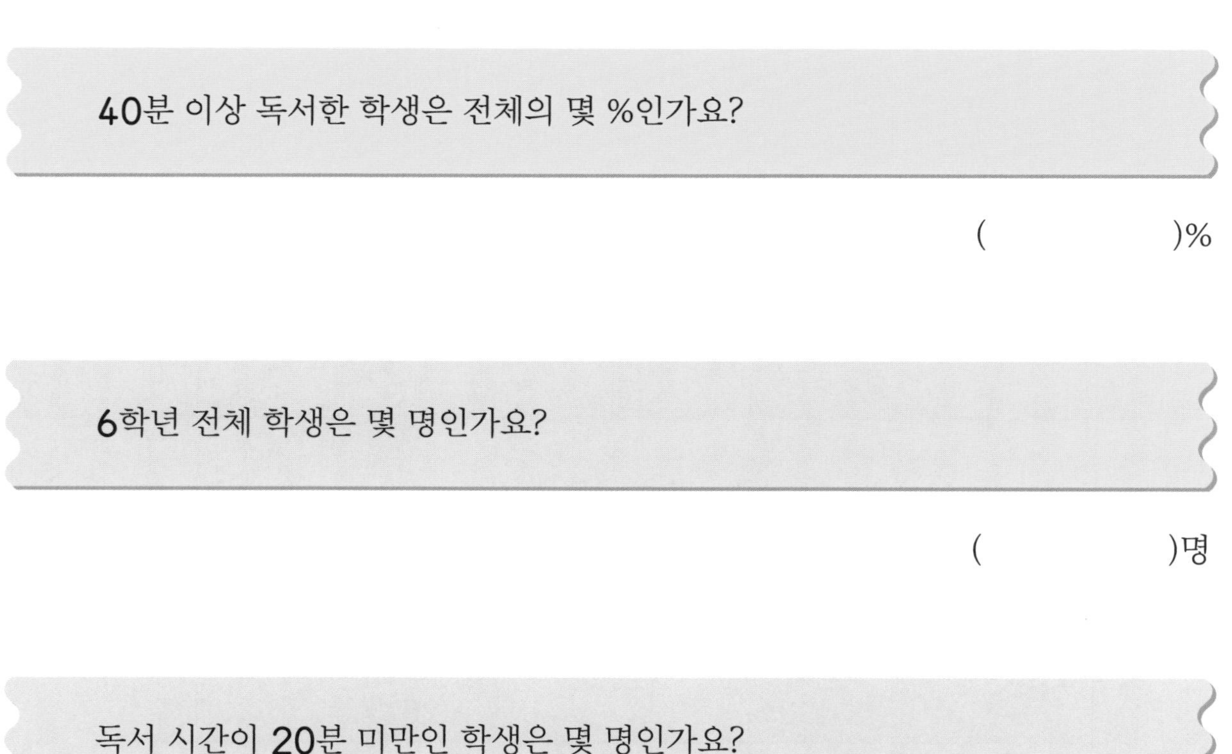

40분 이상 독서한 학생은 전체의 몇 %인가요?

(　　　　　)%

6학년 전체 학생은 몇 명인가요?

(　　　　　)명

독서 시간이 20분 미만인 학생은 몇 명인가요?

(　　　　　)명

월 일

재은이네 학교 학생 300명을 대상으로 일주일 동안 아침을 먹은 횟수를 조사하여 나타낸 띠그래프입니다. 물음에 답하세요.

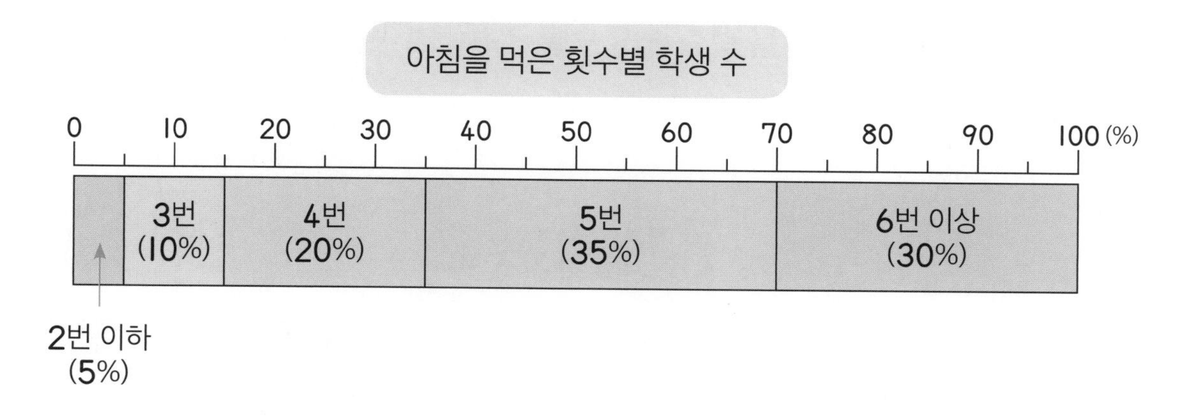

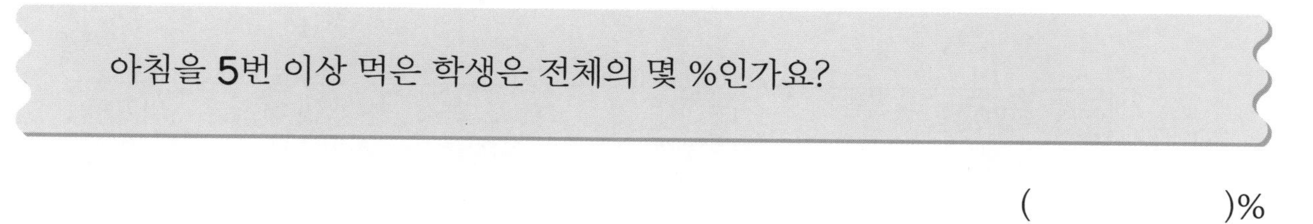

(　　　　　　)%

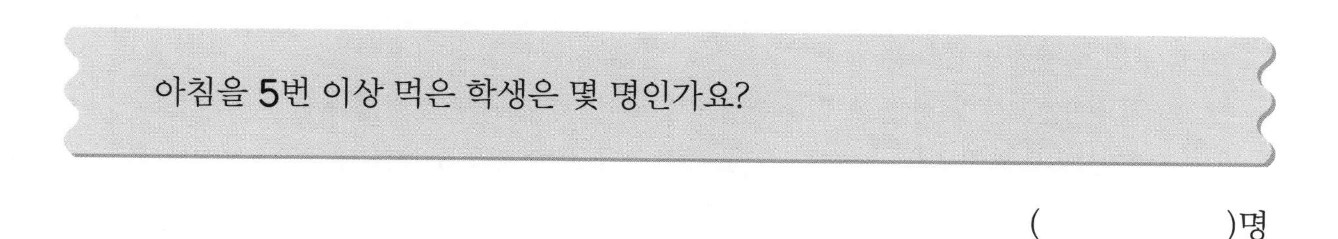

(　　　　　　)명

아침을 3번 또는 4번 먹은 학생은 몇 명인가요?

(　　　　　　)명

가구 수의 변화

2010년과 2020년의 마을별 가구 수를 나타낸 띠그래프입니다. 바르게 설명한 것의 기호를 모두 써 보세요.

마을별 가구 수

2010년	가 마을 (40%)	나 마을 (25%)	다 마을 (15%)	라 마을 (15%)	마 마을 (5%)
2020년	가 마을 (25%)	나 마을 (30%)	다 마을 (15%)	라 마을 (20%)	마 마을 (10%)

㉠ 2020년에는 가 마을 가구 수가 가장 많았습니다.
㉡ 2020년에는 2010년보다 전체에 대한 다 마을 가구 수의 비율이 줄었습니다.
㉢ 2020년에는 2010년보다 전체에 대한 라 마을 가구 수의 비율이 늘어났습니다.
㉣ 2020년에 나 마을 가구 수는 마 마을 가구 수의 3배입니다.

( )

3 주차

원그래프

1일차 원그래프 알기 ····· 32

2일차 띠그래프와 원그래프 ····· 34

3일차 원그래프로 나타내기 (1) ····· 36

4일차 원그래프로 나타내기 (2) ····· 38

5일차 원그래프 그리기 ····· 40

생각 더하기 빵 만들기 ····· 42

1일차 원그래프 알기

수린이네 학교 학생들이 관람하고 싶은 운동 경기를 조사하여 나타낸 표와 원그래프입니다. 빈칸에 알맞은 수 또는 말을 써넣으세요.

관람하고 싶은 운동 경기별 학생 수

운동 경기	야구	축구	배구	농구	기타	합계
학생 수(명)	60	50	40	30	20	200
백분율(%)	30	25	20	15	10	100

관람하고 싶은 운동 경기별 학생 수

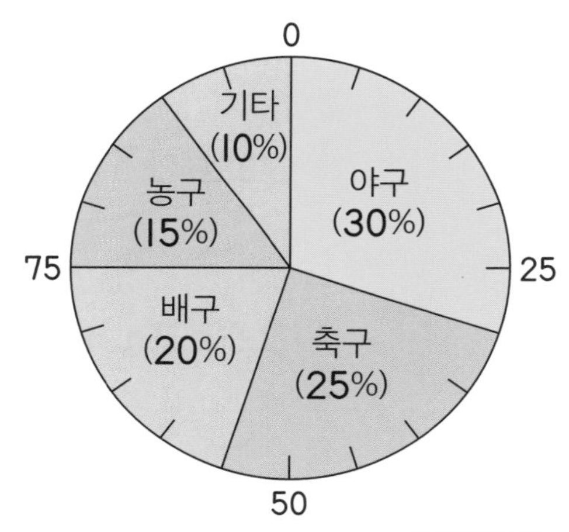

야구를 관람하고 싶은 학생 수는 전체의 [ ]%입니다.

배구를 관람하고 싶은 학생 수는 전체의 [ ]%입니다.

전체의 25%가 관람하고 싶은 운동 경기는 [ ]입니다.

전체의 15%가 관람하고 싶은 운동 경기는 [ ]입니다.

어느 과수원에서 1년 동안 수확한 과일을 조사하여 나타낸 원그래프입니다. 올바른 말에 ◯표, 틀린 말에 ╳표 하세요.

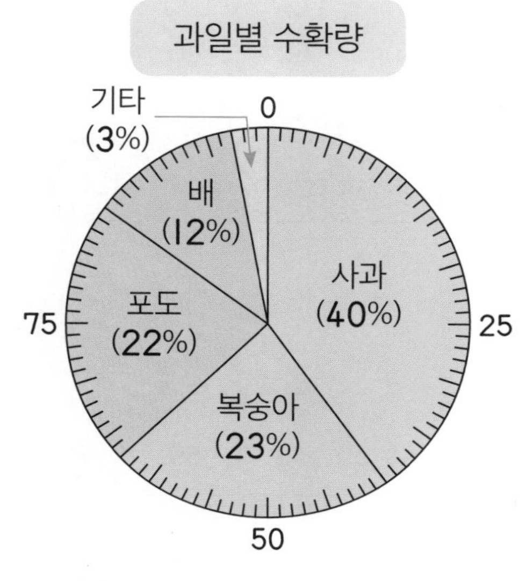

사과 수확량은 전체의 40%입니다. ( )

전체의 12%를 차지하는 과일은 배입니다. ( )

복숭아와 포도의 수확량은 같습니다. ( )

전체에 대한 각 부분의 비율을 원 모양에 나타낸 그래프를 원그래프라고 합니다.
원그래프는 띠그래프와 같은 비율 그래프로 자료의 수량을 백분율로 나타낸 그래프입니다.

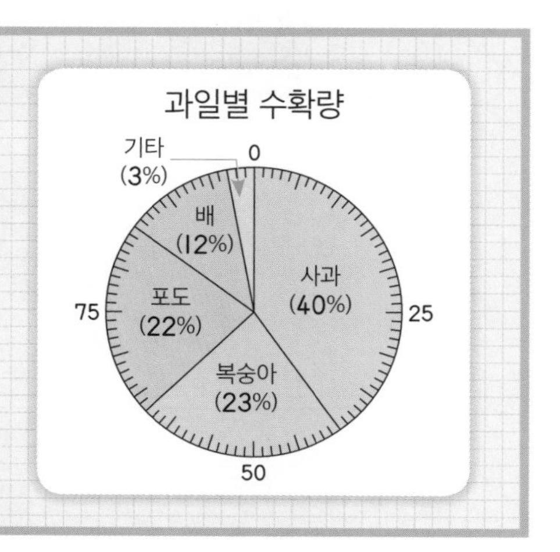

2일차 띠그래프와 원그래프

승아네 학교 학생들을 대상으로 여러 가지를 조사하여 나타낸 띠그래프를 살펴보세요.

장래 희망별 학생 수

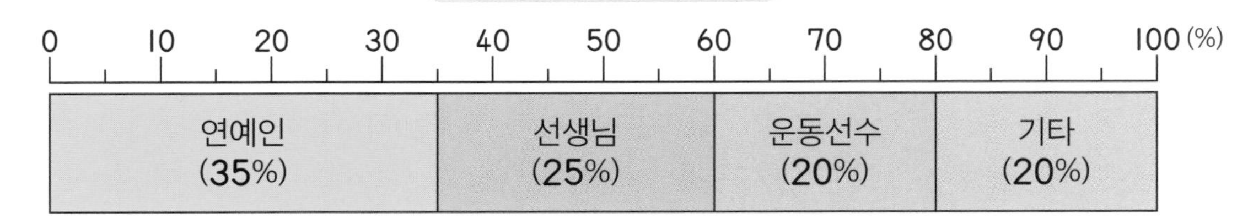

태어난 계절별 학생 수

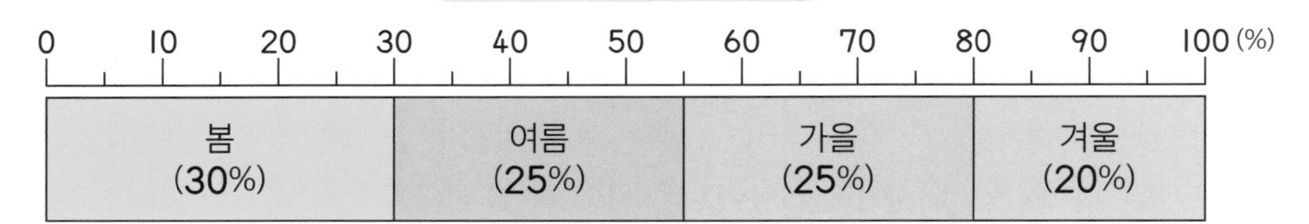

가구원 수별 학생 수

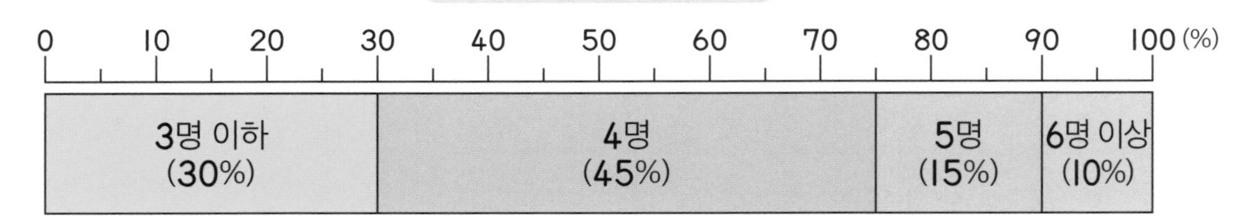

좋아하는 운동별 학생 수

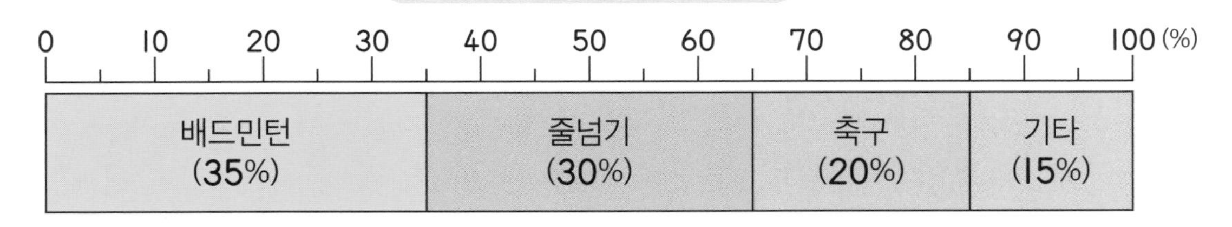

왼쪽 띠그래프를 원그래프로 나타내려고 합니다. 비율이 바르게 나누어진 것을 찾아 항목과 비율, 제목을 써넣어 원그래프를 완성해 보세요.

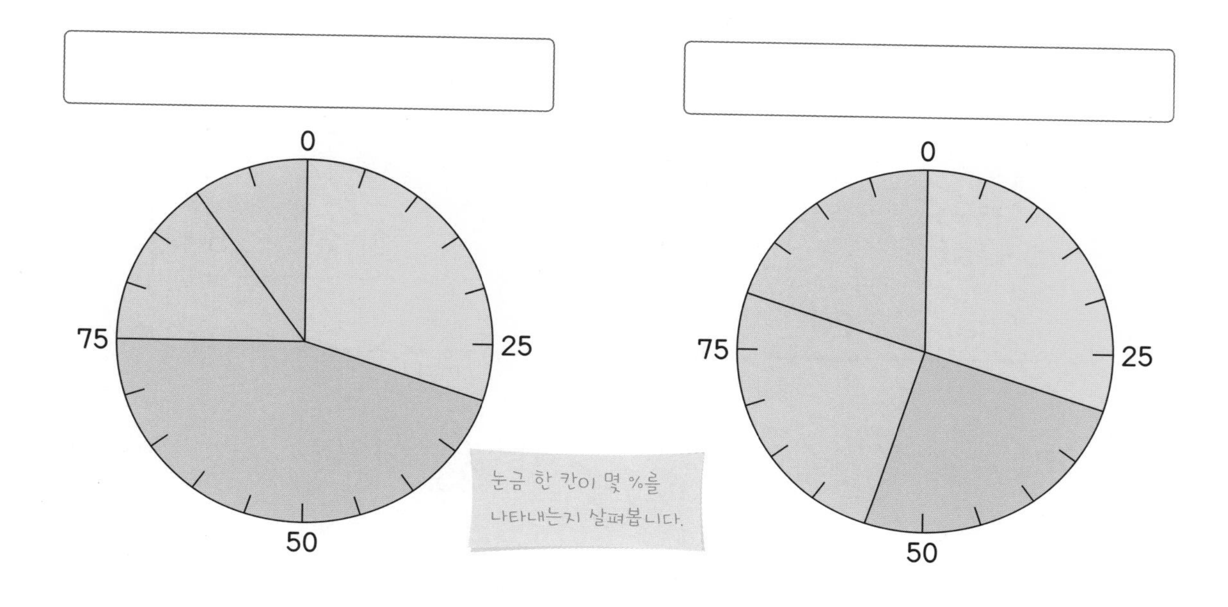

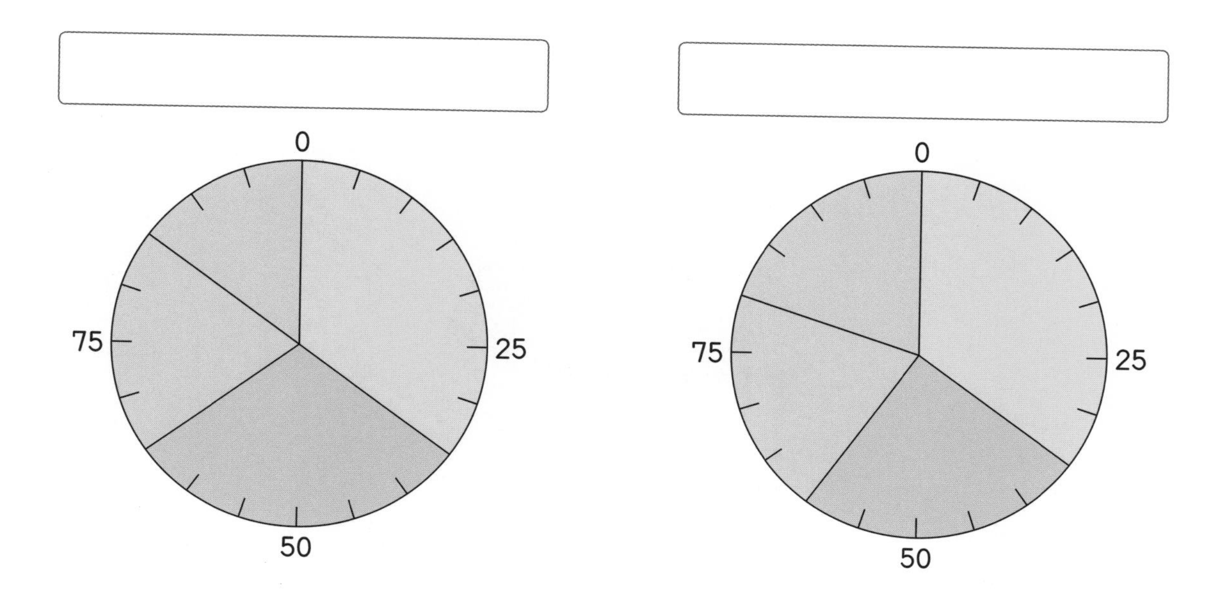

3일차 원그래프로 나타내기 (1)

건희네 반 학생들이 좋아하는 계절을 조사하여 나타낸 표입니다. 백분율을 구하여 표를 완성하고 원그래프를 완성해 보세요.

좋아하는 계절별 학생 수

계절	봄	여름	가을	겨울	합계
학생 수(명)	5	10	7	3	25
백분율(%)	20				

봄: $\frac{5}{25} \times 100 = 20\%$

여름: $\frac{10}{25} \times 100 = \square(\%)$

가을: $\frac{7}{25} \times 100 = \square(\%)$

겨울: $\frac{3}{25} \times 100 = \square(\%)$

좋아하는 계절별 학생 수

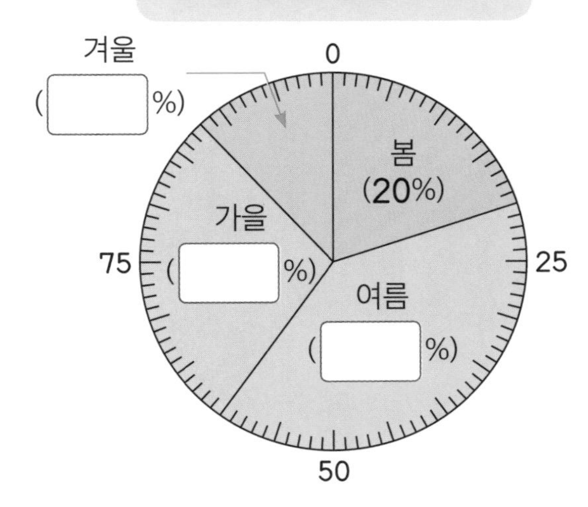

준호네 학교 학생들이 등교하는 방법을 조사하여 나타낸 표입니다. 백분율을 구하여 표를 완성하고 원그래프를 완성해 보세요.

등교 방법별 학생 수

등교 방법	도보	자전거	버스	기타	합계
학생 수(명)	195	60	30	15	300
백분율(%)					

도보: $\frac{195}{300} \times \square = \square$ (%)

자전거: $\frac{60}{300} \times \square = \square$ (%)

버스: $\frac{\square}{300} \times 100 = \square$ (%)

기타: $\frac{15}{\square} \times 100 = \square$ (%)

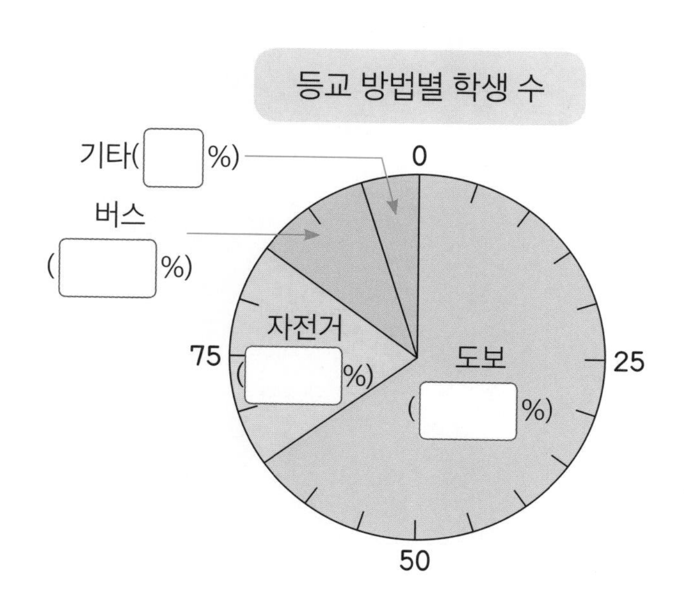

4일차 원그래프로 나타내기 (2)

소민이네 학교 학생들이 가고 싶은 유적지를 조사하여 나타낸 표입니다. 표를 완성하여 빈칸에 알맞은 수를 써넣고 원그래프를 완성해 보세요.

가고 싶은 유적지별 학생 수

유적지	석굴암	경복궁	첨성대	광화문	기타	합계
학생 수(명)	140	80	80	60	40	
백분율(%)	35					

전체 학생은 ☐명입니다.

석굴암에 가고 싶은 학생 수는 전체의 ☐%입니다.

유적지별 백분율을 모두 더하면 ☐%입니다.

가고 싶은 유적지별 학생 수

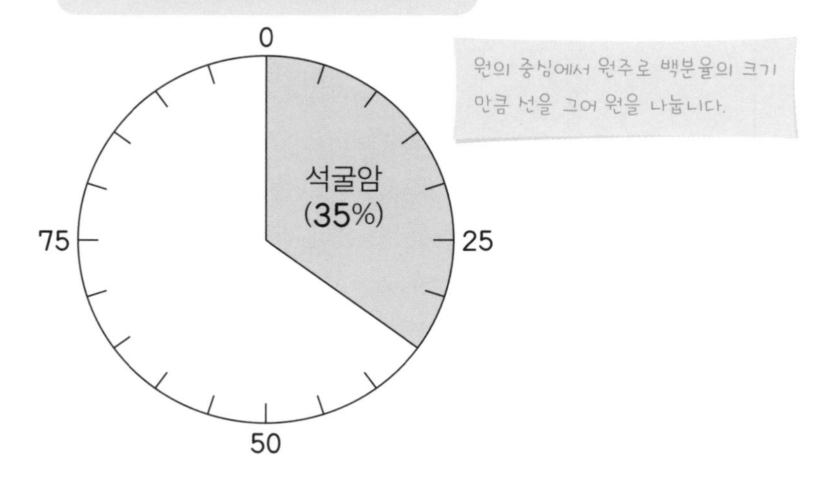

월 일

표와 원그래프를 완성해 보세요.

11월의 날씨별 날수

날씨	날수(일)	백분율(%)
맑음	12	40
흐림	9	
비 옴	6	
눈 옴		
합계	30	

11월의 날씨별 날수

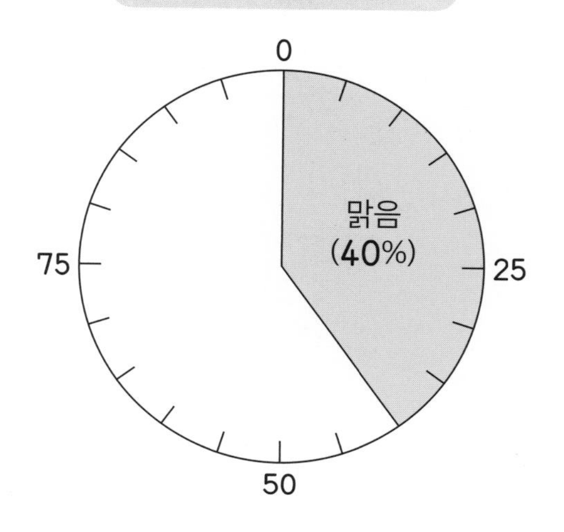

좋아하는 과목별 학생 수

과목	학생 수(명)	백분율(%)
사회		
수학	50	
영어	40	
체육	30	
기타	20	10
합계	200	

좋아하는 과목별 학생 수

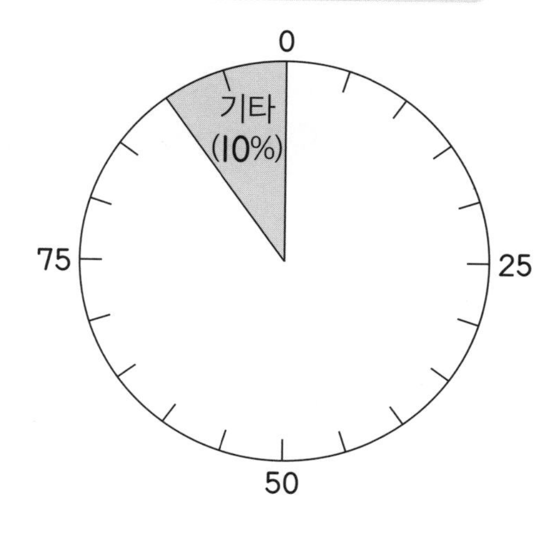

5일차 원그래프 그리기

글을 읽고 원그래프로 나타내어 보세요.

반려동물을 기르는 학생을 대상으로 기르고 있는 반려동물을 조사하였더니 강아지 55%, 고양이 30%, 햄스터 5%, 기타 10%입니다.

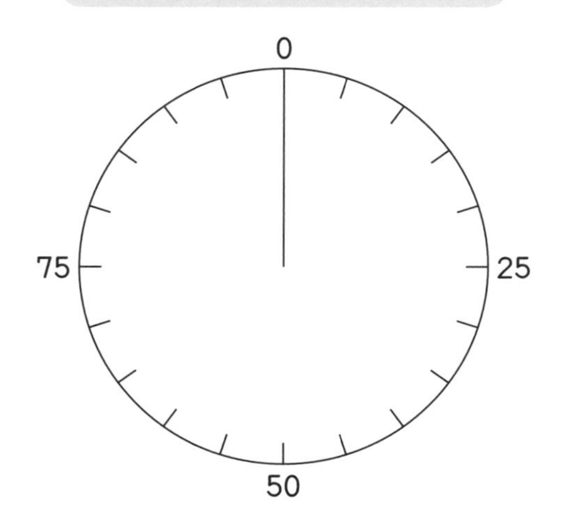

채원이네 학교 학생들을 대상으로 좋아하는 음식을 조사하였더니 치킨 35%, 피자 20%, 김밥 20%, 햄버거 10%, 기타 15%입니다.

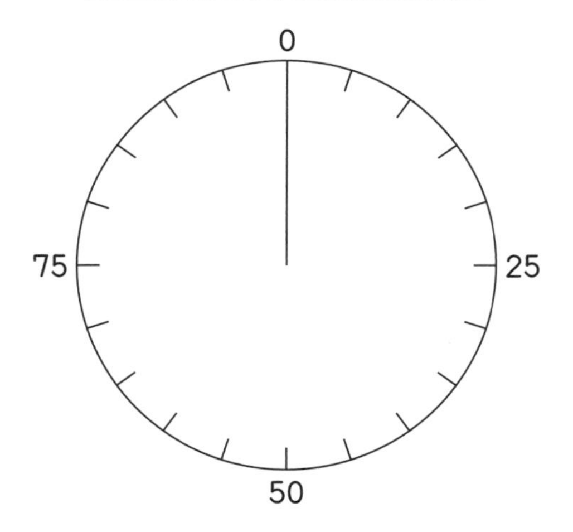

■ 글을 읽고 표를 완성하여 원그래프로 나타내어 보세요.

마을에서 생산한 사과는 모두 1500 kg으로 가 마을에서 전체 생산량의 절반을 생산했고, 나 마을에서 300 kg, 다 마을에서 225 kg, 라 마을에서 150 kg, 마 마을에서 75 kg을 생산했습니다.

마을별 사과 생산량

마을	가	나	다	라	마	합계
생산량(kg)						1500
백분율(%)						100

마을별 사과 생산량

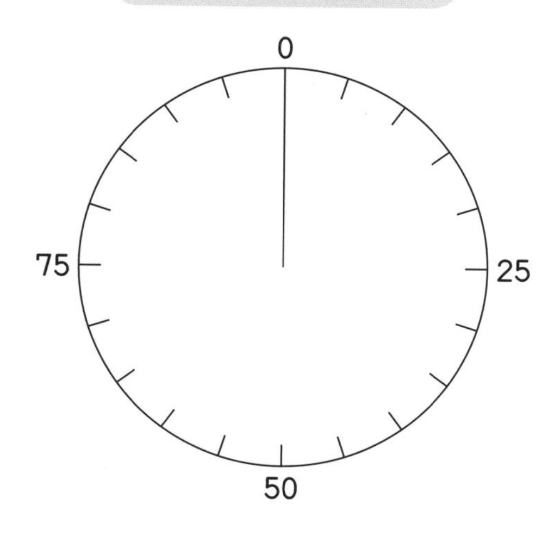

빵 만들기

경준이가 빵을 만들려고 써 놓은 재료 양의 일부가 지워졌습니다. 빵을 만드는데 필요한 종류별 재료의 양을 원그래프로 나타내어 보세요.

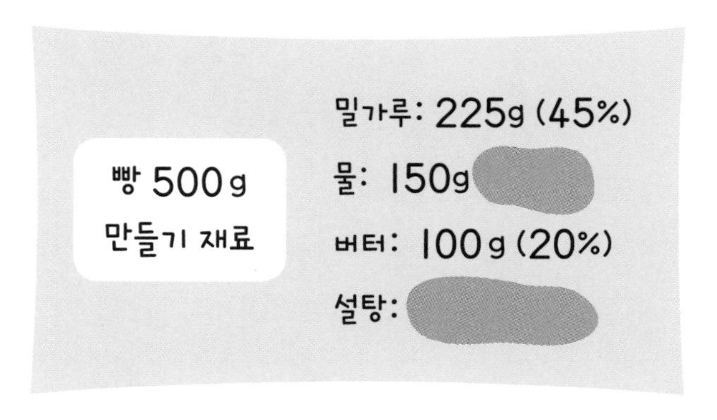

종류별 재료의 양

4 주차

원그래프 해석하기

1일차 원그래프의 내용 (1) ······ 44

2일차 원그래프의 내용 (2) ······ 46

3일차 수량 구하기 (1) ······ 48

4일차 수량 구하기 (2) ······ 50

5일차 비율과 수량 ······ 52

생각 더하기 동물 수의 변화 ······ 54

1일차 원그래프의 내용 (1)

은준이네 학교 학생들이 가고 싶은 산을 조사하여 나타낸 원그래프입니다. 빈칸에 알맞은 수 또는 말을 써넣으세요.

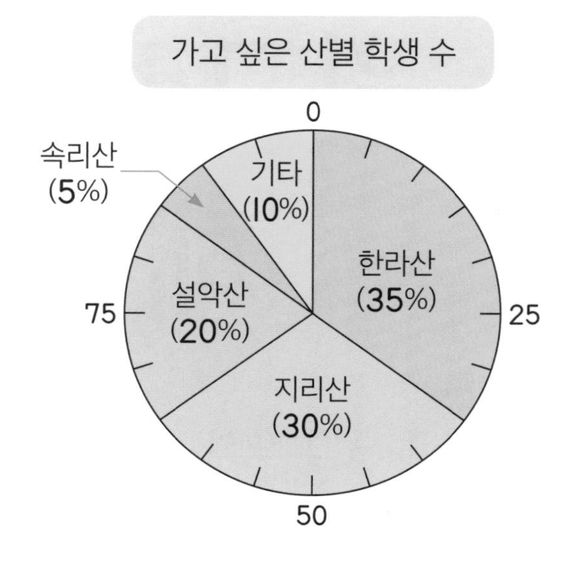

가장 많은 학생이 가고 싶은 산은 ☐ 입니다.

기타를 제외하고 가장 적은 학생이 가고 싶은 산은 ☐ 입니다.

전체의 $\frac{1}{5}$을 차지하는 산은 ☐ 입니다.

지리산 또는 설악산에 가고 싶은 학생 수는 전체의 ☐ %입니다.

한라산을 제외한 나머지 산에 가고 싶은 학생 수는 전체의 ☐ %입니다.

연서네 학교 학생들의 혈액형을 조사하여 나타낸 원그래프입니다. 물음에 답하세요.

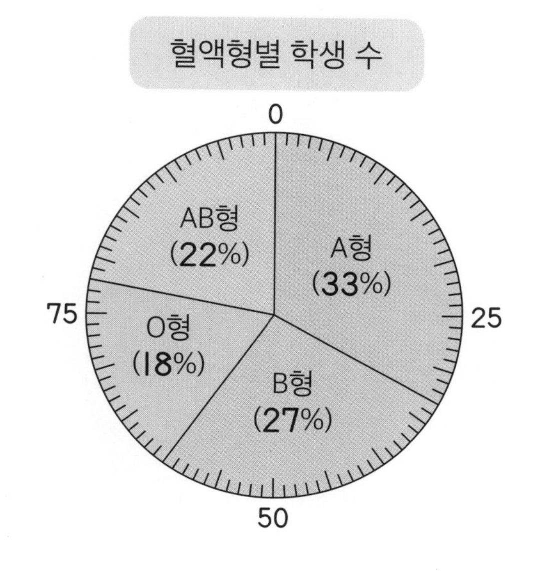

어느 혈액형의 비율이 가장 낮은가요? (　　　　　)형

혈액형 중 30% 이상을 차지하는 혈액형을 써 보세요. (　　　　　)형

둘째로 높은 비율을 차지하는 혈액형을 써 보세요. (　　　　　)형

O형 또는 AB형인 학생 수는 전체의 몇 %인가요? (　　　　　)%

2일차 원그래프의 내용 (2)

가율이네 집의 한 달 생활비의 쓰임새를 조사하여 나타낸 원그래프입니다. 빈칸에 알맞은 수 또는 말을 써넣으세요.

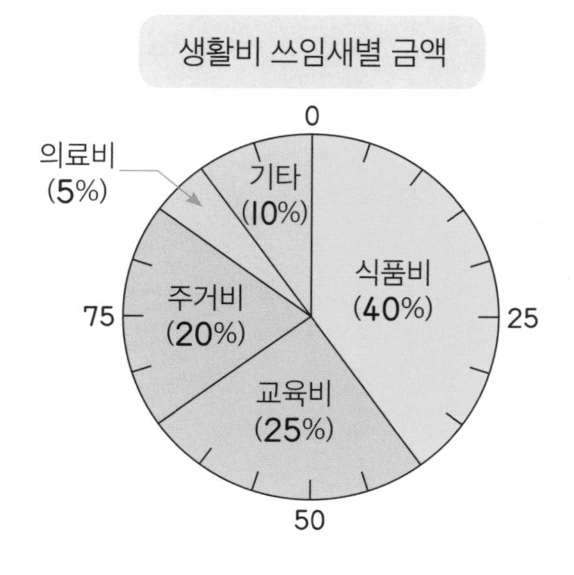

식품비로 쓰는 금액은 주거비로 쓰는 금액의 ☐배입니다.

주거비로 쓰는 금액은 의료비로 쓰는 금액의 ☐배입니다.

기타로 쓰는 금액의 4배인 쓰임새는 ☐입니다.

의료비로 쓰는 금액의 5배인 쓰임새는 ☐입니다.

식품비 또는 기타로 쓰는 금액은 교육비로 쓰는 금액의 ☐배입니다.

월 일

현준이네 학교 학생들이 사는 마을을 조사하여 나타낸 원그래프입니다. 물음에 답하세요.

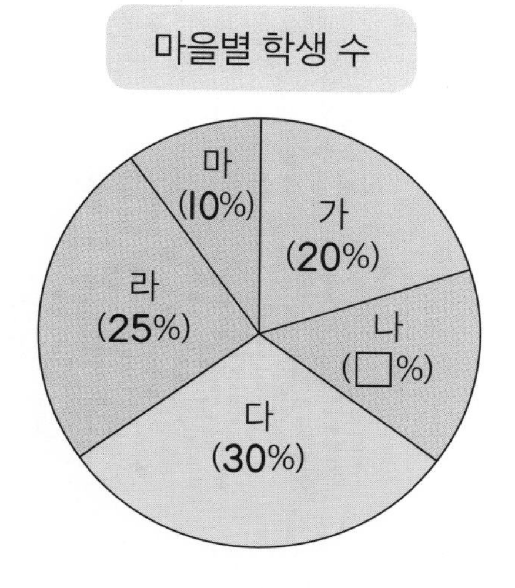

학생 수가 마 마을의 3배인 마을은 어느 마을인가요?

( )마을

다 마을에 사는 학생 수는 나 마을에 사는 학생 수의 2배입니다. 나 마을에 사는 학생 수는 전체의 몇 %인가요?

( )%

가 또는 라 마을에 사는 학생 수는 나 마을에 사는 학생 수의 몇 배인가요?

( )배

3일차 수량 구하기 (1)

성현이네 지역에 있는 병원 종류를 조사하여 나타낸 원그래프입니다. 빈칸에 알맞은 수를 써넣고 표를 완성해 보세요.

종류별 병원 수

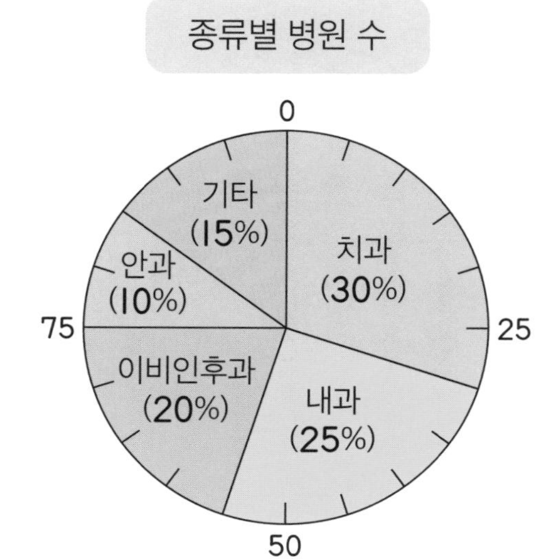

종류별 병원 수

종류	치과	내과	이비인후과	안과	기타	합계
병원 수(곳)		65	52		39	
백분율(%)	30	25	20	10	15	100

이비인후과 수는 안과 수의 ☐배입니다.

치과 수는 안과 수의 ☐배입니다.

전체 병원 수는 내과의 ☐배입니다.

진원이네 학교 학생들이 좋아하는 급식 메뉴를 조사하여 나타낸 원그래프입니다. 물음에 답하세요.

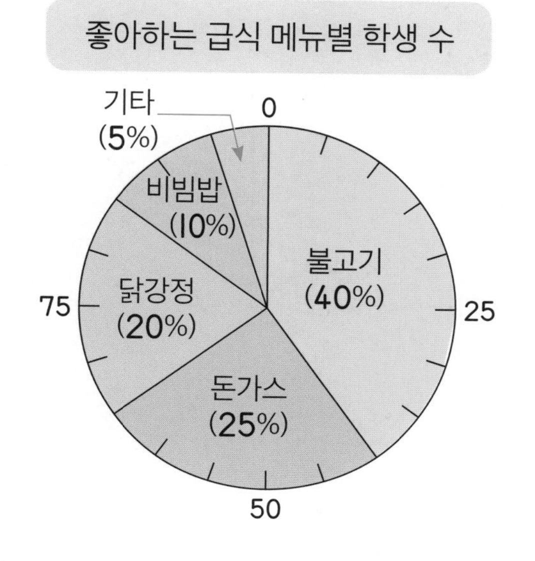

기타에 속하는 메뉴를 좋아하는 학생이 15명이라면 돈가스를 좋아하는 학생은 몇 명인가요?

( )명

불고기를 좋아하는 학생이 120명이라면 비빔밥을 좋아하는 학생은 몇 명인가요?

( )명

닭강정을 좋아하는 학생이 60명이라면 전체 학생은 몇 명인가요?

( )명

4일차 수량 구하기 (2)

수민이네 학교 6학년 학생들이 존경하는 위인을 조사하여 나타낸 원그래프입니다. 빈칸에 알맞은 수를 써넣고 표를 완성해 보세요.

존경하는 위인별 학생 수

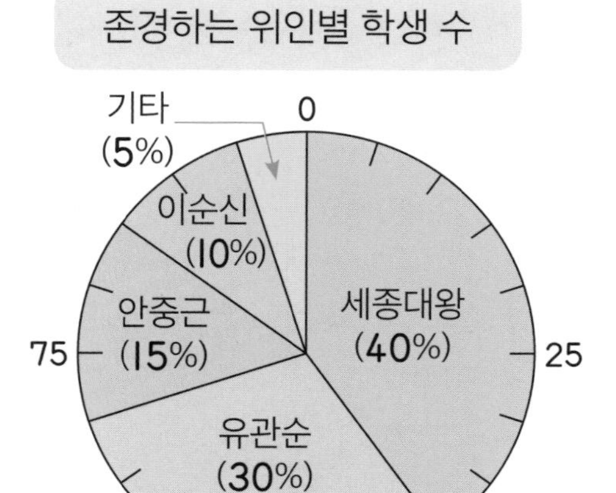

존경하는 위인별 학생 수

위인	세종대왕	유관순	안중근	이순신	기타	합계
학생 수(명)	24					60
백분율(%)	40	30	15	10	5	100

세종대왕: $60 \times \frac{40}{100} = 24$(명)

유관순: $60 \times \frac{30}{100} = \square$(명)

안중근: $\square \times \frac{15}{100} = \square$(명)

이순신: $\square \times \frac{10}{100} = \square$(명)

기타: $60 \times \frac{\square}{100} = \square$(명)

전체 수량에 비율을 곱하면 항목의 수량입니다.

물음에 답하세요.

준현이네 학교 학생 340명을 대상으로 좋아하는 채소를 조사하여 나타낸 원그래프입니다. 당근을 좋아하는 학생은 몇 명일까요?

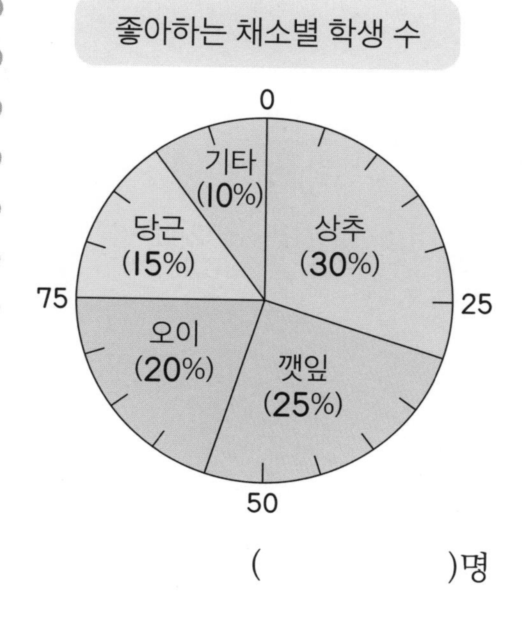

(　　　　　　)명

마을별로 감자 생산량을 조사하여 나타낸 원그래프입니다. 전체 생산량이 1500 kg이라면 나 마을에서 생산한 감자는 몇 kg일까요?

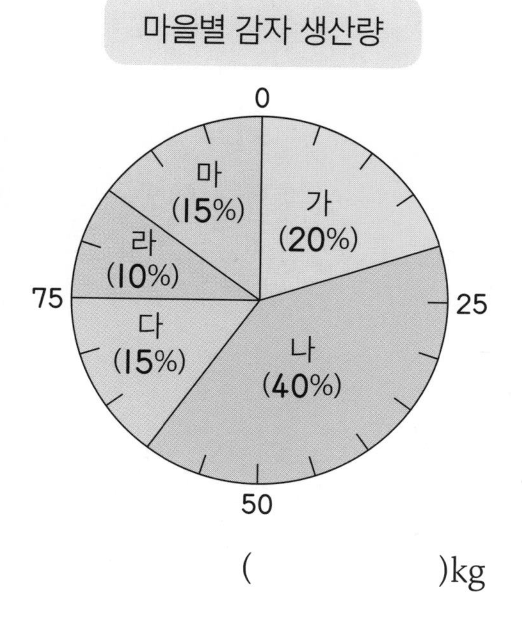

(　　　　　　)kg

5일차 비율과 수량

채은이네 학교 학생들이 하루에 휴대 전화를 사용하는 시간을 조사하여 나타낸 원그래프이고, 휴대 전화를 1시간 이상 사용하는 학생이 100명입니다. 물음에 답하세요.

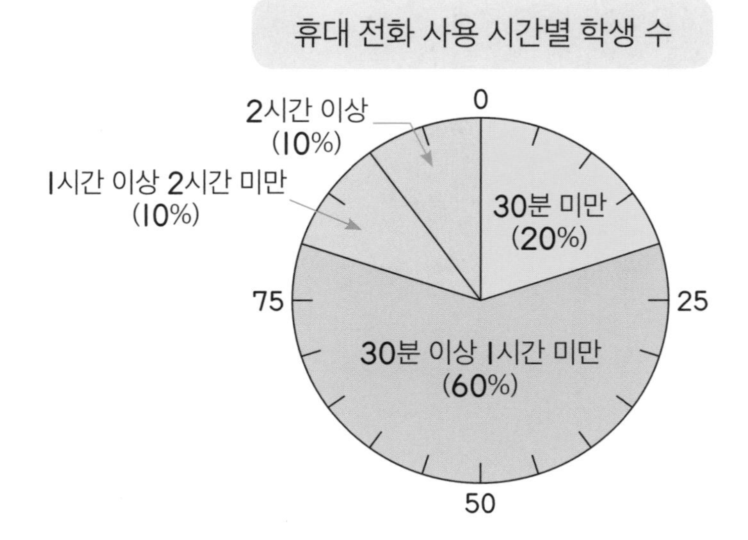

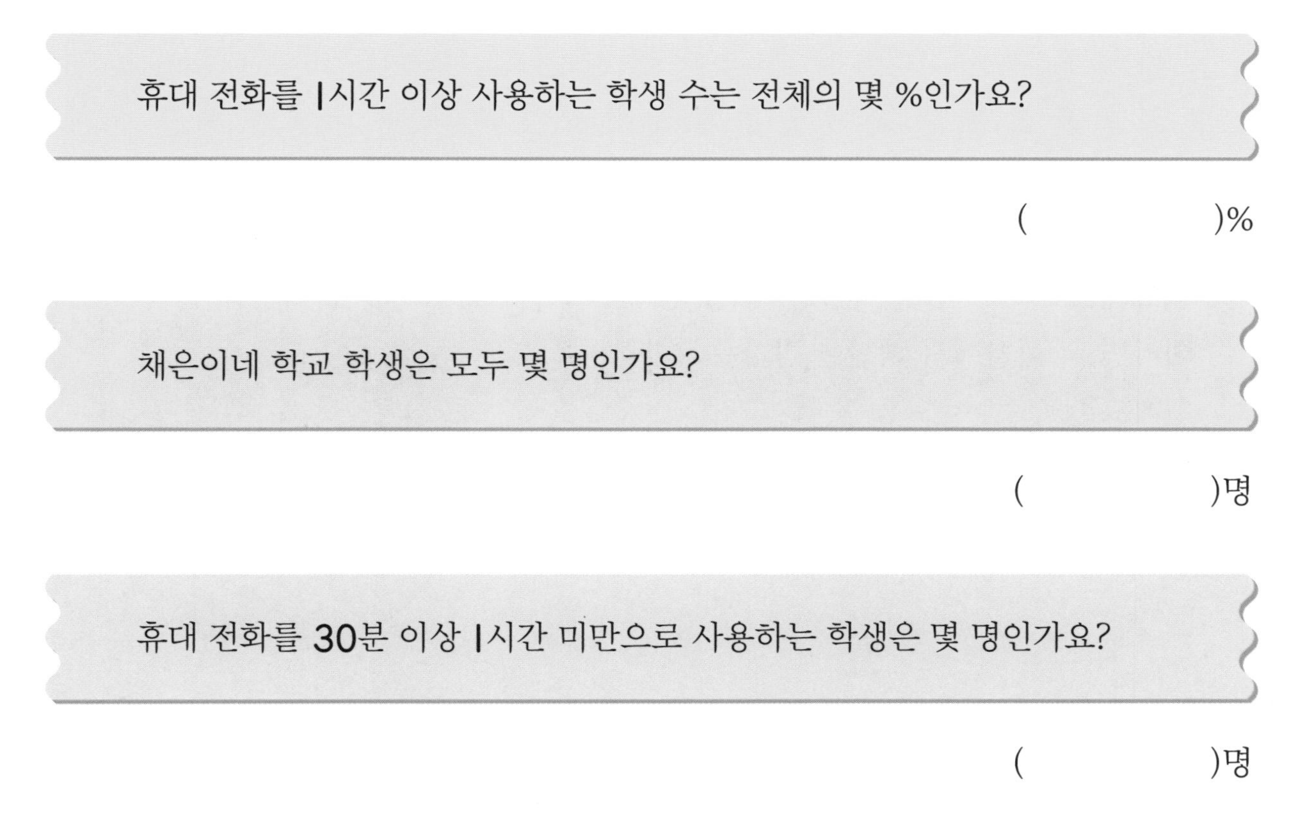

휴대 전화를 1시간 이상 사용하는 학생 수는 전체의 몇 %인가요?

(　　　　　)%

채은이네 학교 학생은 모두 몇 명인가요?

(　　　　　)명

휴대 전화를 30분 이상 1시간 미만으로 사용하는 학생은 몇 명인가요?

(　　　　　)명

재인이네 학교 6학년 학생 220명을 대상으로 일주일 동안 읽은 책 수를 조사하여 나타낸 원그래프입니다. 물음에 답하세요.

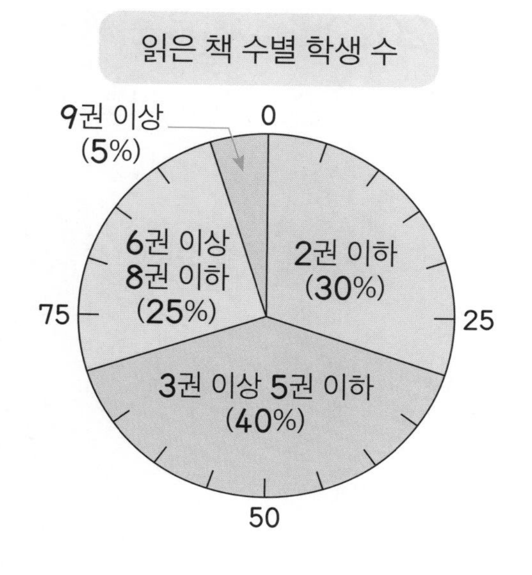

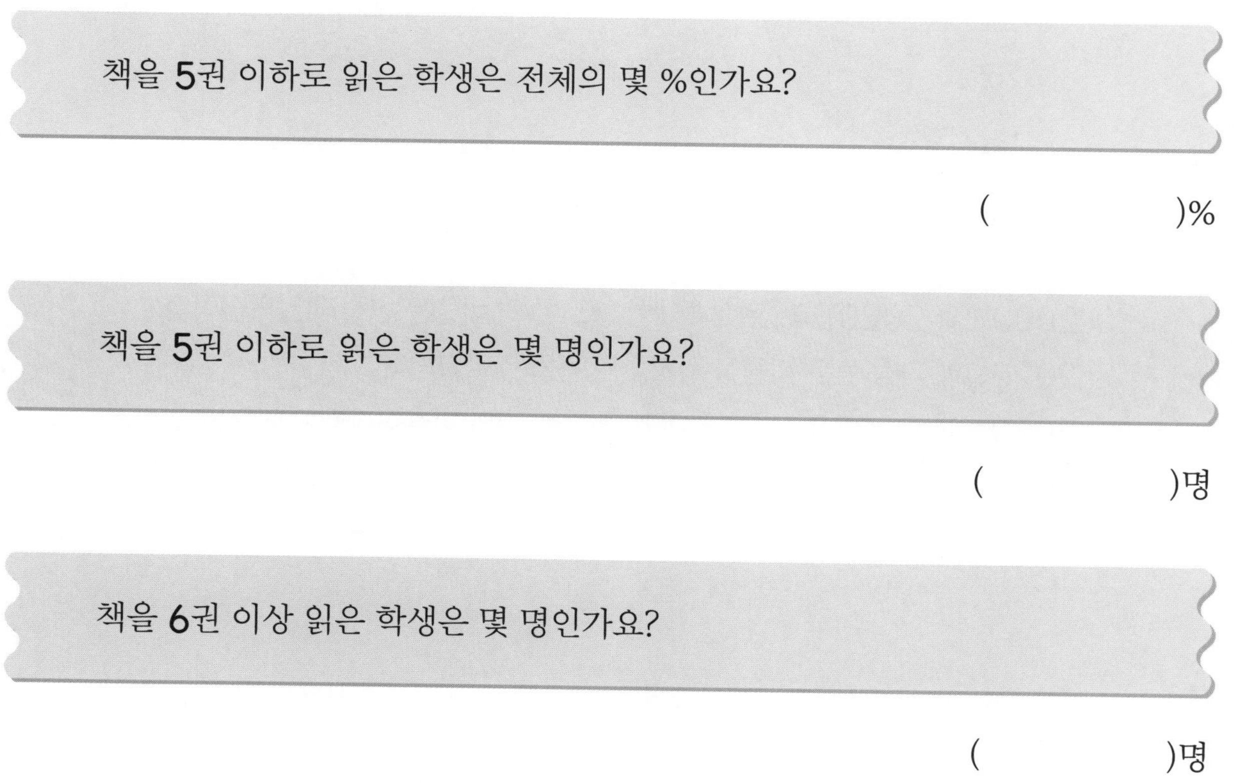

책을 5권 이하로 읽은 학생은 전체의 몇 %인가요?

( )%

책을 5권 이하로 읽은 학생은 몇 명인가요?

( )명

책을 6권 이상 읽은 학생은 몇 명인가요?

( )명

동물 수의 변화

어느 농장에서 2000년과 2020년의 기르는 종류별 동물 수를 조사하여 나타낸 원그래프입니다. 바르게 설명한 것의 기호를 모두 써 보세요.

종류별 동물 수

2000년

닭 (45%), 돼지 (25%), 소 (20%), 염소 (10%)

2020년

소 (40%), 닭 (30%), 돼지 (20%), 염소 (10%)

㉠ 2000년과 2020년에 전체에 대한 염소 수의 비율은 변하지 않았습니다.
㉡ 2020년에 가장 높은 비율을 차지하는 동물은 닭입니다.
㉢ 2020년에는 2000년보다 전체에 대한 소 수의 비율이 2배로 늘어났습니다.
㉣ 2020년에는 2000년보다 전체에 대한 돼지 수의 비율이 늘어났습니다.

( )

링크 그래프의 활용

LINK 1 수량의 비교 ······················ 56

LINK 2 한 항목의 그래프 (1) ···· 58

LINK 3 한 항목의 그래프 (2) ···· 60

LINK 1 수량의 비교

민재네 학교 5학년과 6학년의 남학생 수와 여학생 수를 조사하여 나타낸 띠그래프입니다. 물음에 답하세요.

남학생과 여학생 수

5학년	남학생 (55%)	여학생 (45%)
6학년	남학생 (55%)	여학생 (45%)

5학년 학생 수는 160명입니다. 5학년 남학생은 몇 명인가요?

(　　　　　　)명

6학년 학생 수는 180명입니다. 6학년 남학생은 몇 명인가요?

(　　　　　　)명

5학년과 6학년 중 남학생은 어느 학년이 몇 명 더 많은가요?

(　　　　　　)학년, (　　　　　　)명

수민이네 학교 6학년 1반과 2반에 있는 학급문고를 조사하여 나타낸 원그래프입니다. 물음에 답하세요.

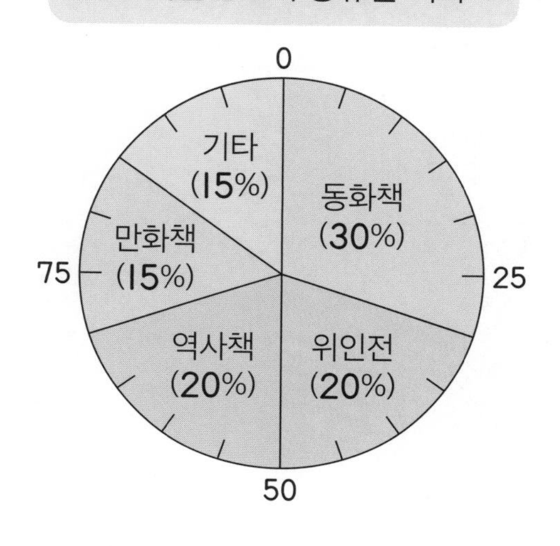

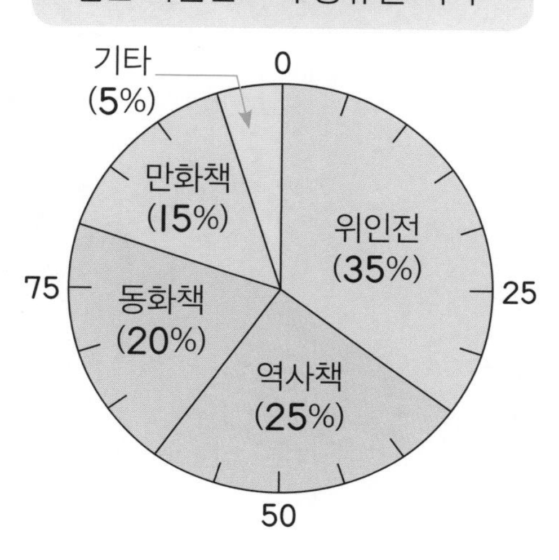

1반에 있는 역사책은 17권입니다. 1반 학급문고의 책은 모두 몇 권인가요?

(　　　　　)권

2반에 있는 역사책은 20권입니다. 2반 학급문고의 책은 모두 몇 권인가요?

(　　　　　)권

1반과 2반 중 학급문고의 책은 어느 반이 몇 권 더 많은가요?

(　　　　　)반, (　　　　　)권

LINK 2 한 항목의 그래프 (1)

어느 마을에서 도로 건설에 대한 투표에 400명이 참여했습니다. 투표 결과를 나타낸 원그래프를 보고 물음에 답하세요.

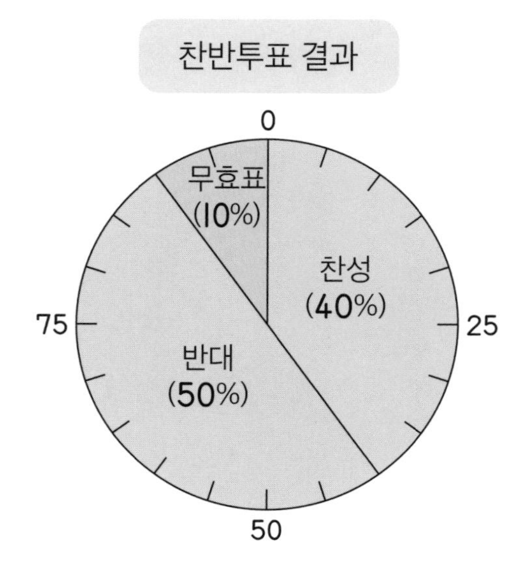

위 그래프에서 전체는 몇 명인가요?

( )명

도로 건설에 반대한 사람 수는 전체의 몇 %인가요?

( )%

도로 건설에 반대한 사람은 몇 명인가요?

( )명

월 일

왼쪽 투표 결과를 나타낸 원그래프 중 반대한 사람들의 반대 이유를 조사하여 나타낸 원그래프입니다. 물음에 답하세요.

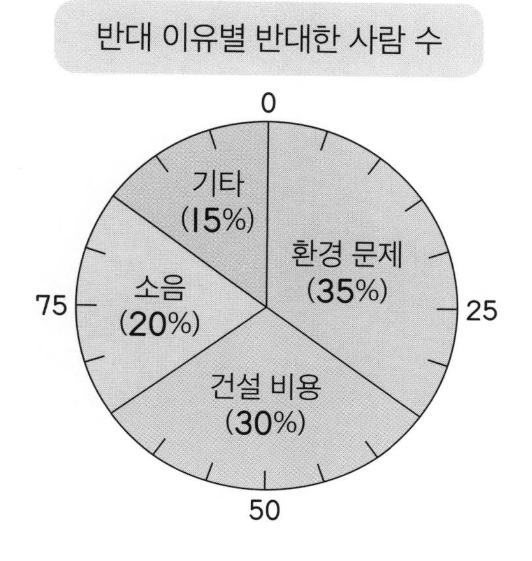

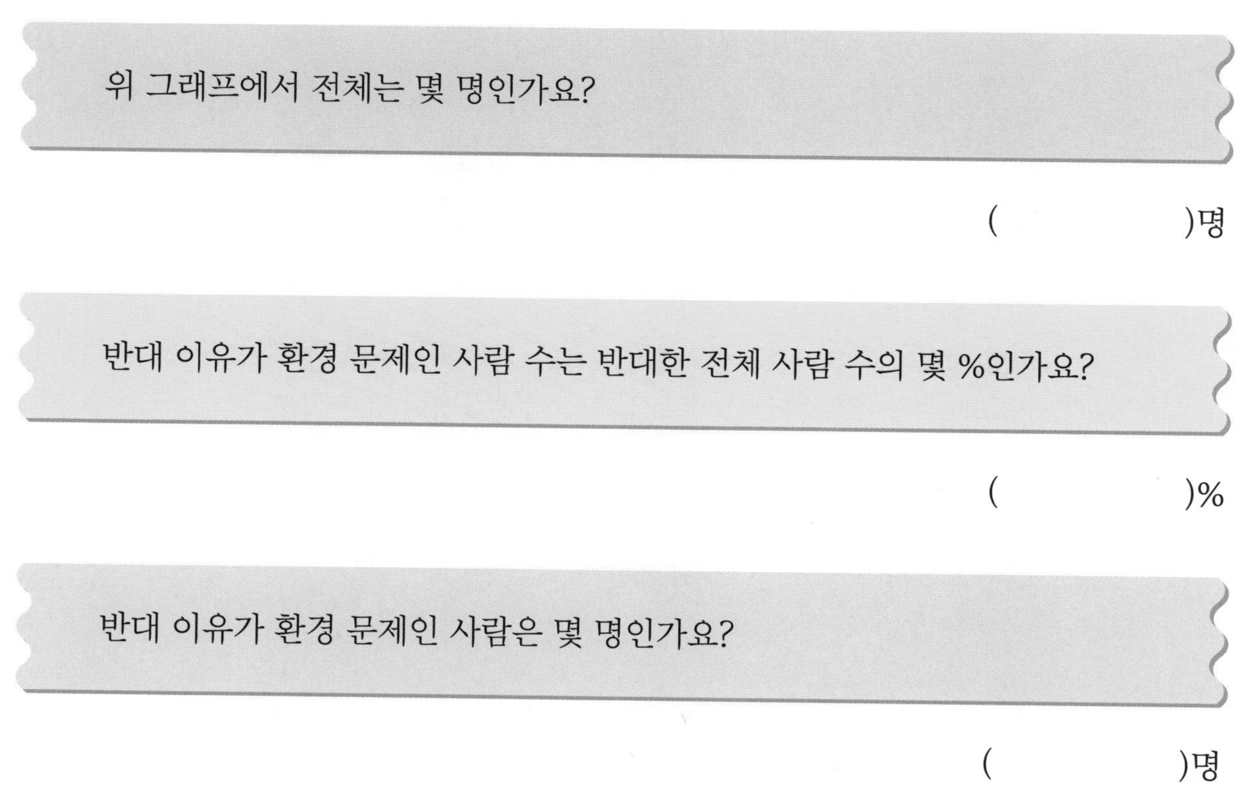

위 그래프에서 전체는 몇 명인가요?

( )명

반대 이유가 환경 문제인 사람 수는 반대한 전체 사람 수의 몇 %인가요?

( )%

반대 이유가 환경 문제인 사람은 몇 명인가요?

( )명

LINK 3

한 항목의 그래프 (2)

유정이네 마을 사람 300명을 대상으로 걷기 대회 참가 여부와 참가한 사람들의 연령대를 조사하여 나타낸 그래프입니다. 빈칸에 알맞은 수를 써넣으세요.

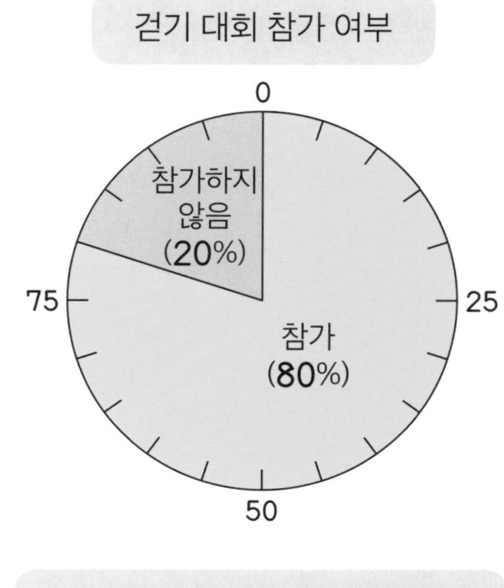

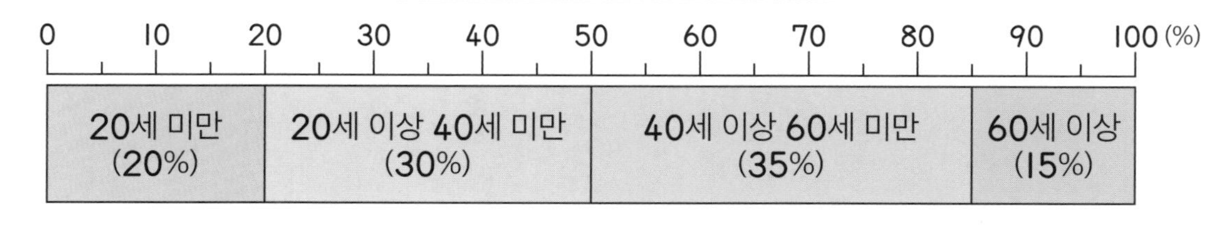

걷기 대회에 참가하지 않은 사람은 ☐ 명입니다.

걷기 대회에 참가한 사람 수는 참가하지 않은 사람 수의 ☐ 배입니다.

월 일

왼쪽 그래프를 보고 물음에 답하세요.

걷기 대회에 참가한 사람은 몇 명인가요?

( )명

걷기 대회에 참가한 20세 미만은 참가한 전체 사람 수의 몇 %인가요?

( )%

걷기 대회에 참가한 20세 미만은 몇 명인가요?

( )명

걷기 대회에 참가한 40세 이상은 참가한 전체 사람 수의 몇 %인가요?

( )%

걷기 대회에 참가한 40세 이상은 몇 명인가요?

( )명

memo

형성평가

1회 ············ 64
2회 ············ 66

형성평가 1회

※ 가윤이네 학교 학생들이 좋아하는 분식을 조사하여 나타낸 원그래프입니다. 물음에 답하세요. (**1**~**3**)

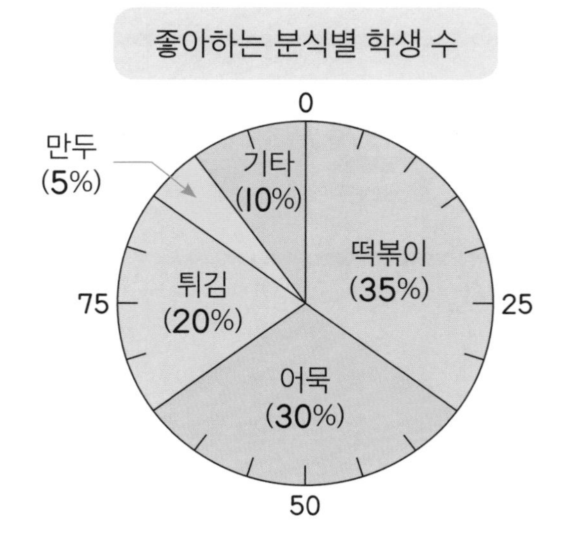

1 어묵을 좋아하는 학생 수는 전체의 몇 %일까요?

( )%

2 가장 많은 학생들이 좋아하는 분식은 무엇일까요?

( )

3 튀김을 좋아하는 학생이 60명이라면 만두를 좋아하는 학생은 몇 명일까요?

( )명

※ 글을 읽고 물음에 답하세요. (**4~6**)

해원이네 학교 학생들이 가고 싶은 체험 학습 장소를 조사하였더니 동물원 30%, 과학관 25%, 박물관 20%, 식물원 15%, 갯벌 7%, 미술관 3%입니다.

4 표를 완성해 보세요.

체험 학습 장소별 학생 수

장소	동물원	과학관	박물관	식물원	기타	합계
백분율(%)						

5 **4**의 표를 보고 원그래프로 나타내어 보세요.

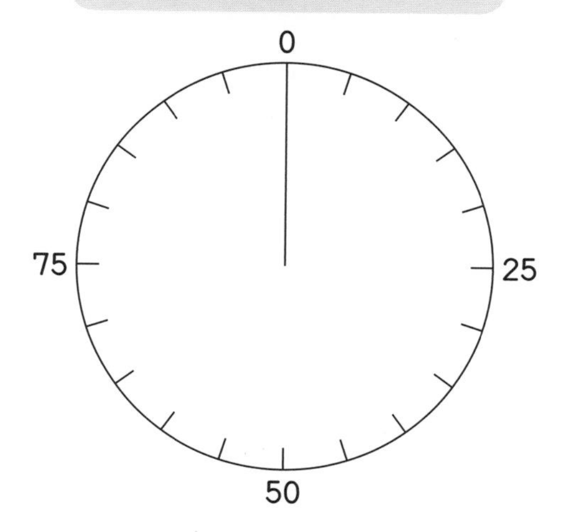

6 과학관에 가고 싶은 학생이 65명이라면 조사한 전체 학생은 몇 명일까요?

(　　　　　　)명

형성평가 2회

※ 신발 가게에서 일주일 동안 팔린 신발을 조사하여 나타낸 표입니다. 물음에 답하세요. (1~3)

팔린 종류별 신발 수

종류	운동화	구두	슬리퍼	기타	합계
신발 수(켤레)	14	12	10	4	40
백분율(%)				10	100

1 위의 표를 완성해 보세요.

2 위의 표를 띠그래프로 나타내어 보세요.

팔린 종류별 신발 수

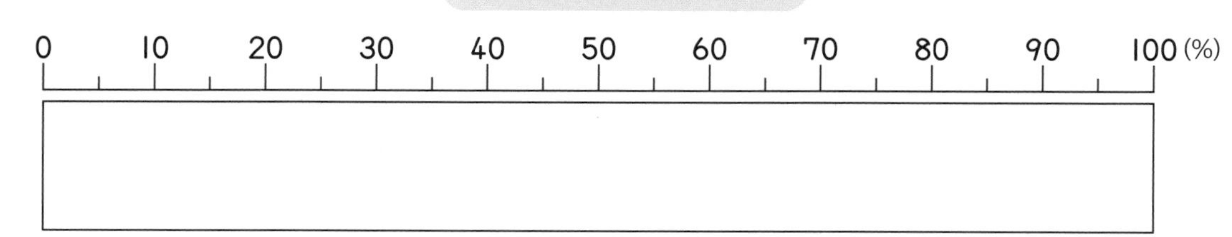

3 팔린 구두 또는 슬리퍼 수는 전체의 몇 %일까요?

( )%

※ 용재네 학교 학생들의 가족 구성원 수별 학생 수를 조사하여 나타낸 띠그래프입니다. 물음에 답하세요. (**4~6**)

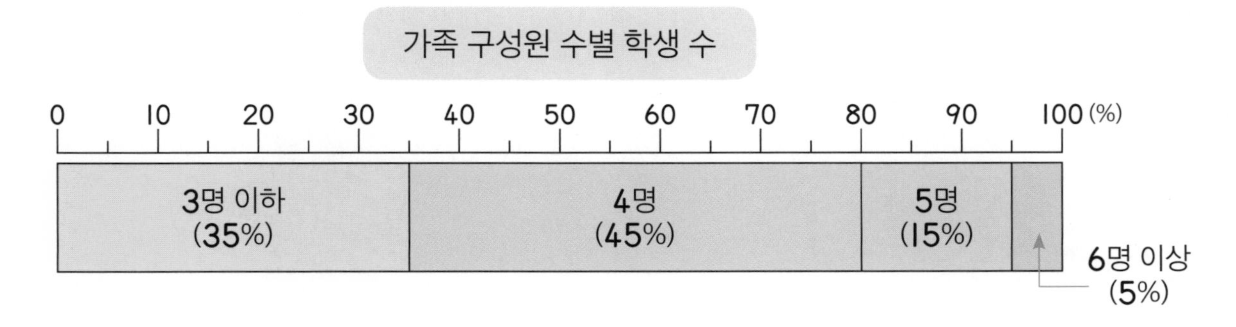

4 가족 구성원 수가 4명인 학생 수는 5명인 학생 수의 몇 배일까요?

(   )배

5 전체 학생이 200명이라면 가족 구성원 수가 5명 이상인 학생은 몇 명일까요?

(   )명

6 띠그래프를 원그래프로 나타내어 보세요.

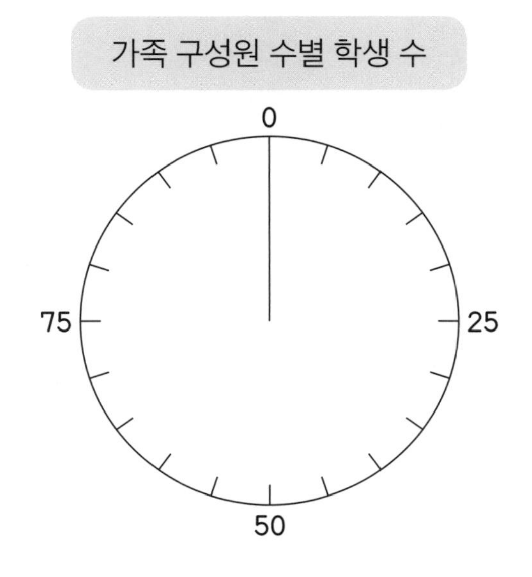

memo

초등 수학 핵심파트 집중 완성

교과특강

초6

F 2

비율 그래프

에듀히어로
Edu HERO

정답

F2

비율 그래프

정답

1주차: 띠그래프

8쪽·9쪽

1일차 백분율로 나타낸 표

지효네 학교 6학년 1반과 2반 학생들이 태어난 계절을 조사하여 나타낸 표입니다. 전체 학생 수에 대한 태어난 계절별 학생 수의 백분율을 구하여 표를 완성해 보세요.

1반의 태어난 계절별 학생 수

계절	봄	여름	가을	겨울	합계
학생 수(명)	3	5	8	4	20
백분율(%)	15	25	40	20	100

봄: $\frac{3}{20}\times 100=15$(%) 여름: $\frac{5}{20}\times 100=25$(%)

가을: $\frac{8}{20}\times 100=40$(%) 겨울: $\frac{4}{20}\times 100=20$(%)

2반의 태어난 계절별 학생 수

계절	봄	여름	가을	겨울	합계
학생 수(명)	6	4	5	10	25
백분율(%)	24	16	20	40	100

봄: $\frac{6}{25}\times 100=24$(%) 여름: $\frac{4}{25}\times 100=16$(%)

가을: $\frac{5}{25}\times 100=20$(%) 겨울: $\frac{10}{25}\times 100=40$(%)

월 일

농장에서 생산한 채소의 양을 조사하여 나타낸 표입니다. 전체 생산량에 대한 채소별 생산량의 백분율을 구하여 표를 완성하고 빈칸에 알맞은 수를 써넣으세요.

채소별 생산량

채소	양파	당근	오이	호박	합계
생산량(kg)	100	40	10	50	200
백분율(%)	50	20	5	25	100

당근: $\frac{40}{200}\times 100=20$(%)

오이: $\frac{10}{200}\times 100=5$(%)

호박: $\frac{50}{200}\times 100=25$(%)

당근 생산량은 40 kg입니다.

당근 생산량은 전체의 20 %입니다.

백분율의 전체 합은 100 %입니다.

호박 생산량은 오이 생산량의 5 배입니다.

> 비율에 100을 곱해서 나온 값에 %를 붙이면 백분율로 나타낼 수 있습니다.
> 전체 생산량에 대한 양파 생산량의 비율을 구할 때 기준량은 전체 생산량, 비교하는 양은 양파 생산량입니다.
> 따라서 전체 생산량에 대한 양파 생산량은 $\frac{100}{200}\times 100=50$(%)입니다.

10쪽·11쪽

2일차 띠그래프 알기

진혁이네 학교 학생 회장 선거에서 후보자별 득표수를 조사하여 나타낸 표와 띠그래프입니다. 빈칸에 알맞은 수 또는 말을 써넣으세요.

학생 회장 후보자별 득표수

후보	가	나	다	라	마	합계
득표수(표)	160	100	80	40	20	400
백분율(%)	40	25	20	10	5	100

학생 회장 후보자별 득표수

0 10 20 30 40 50 60 70 80 90 100(%)

가 (40%)	나 (25%)	다 (20%)	라 (10%)	마 (5%)

띠그래프의 눈금 한 칸은 5%를 나타냅니다.

가 후보의 득표수는 전체의 40 %입니다.
눈금 8칸이므로 40%입니다.

라 후보의 득표수는 전체의 10 %입니다.
눈금 2칸이므로 10%입니다.

전체의 20%를 받은 후보는 다 후보입니다.
눈금 4칸을 차지하는 후보는 다 후보입니다.

전체의 5%를 받은 후보는 마 후보입니다.
눈금 1칸을 차지하는 후보는 마 후보입니다.

월 일

지혜네 반 학생 25명이 좋아하는 색깔을 조사하여 나타낸 띠그래프입니다. 올바른 말에 ○표, 틀린 말에 ×표 하세요.

좋아하는 색깔별 학생 수

0 10 20 30 40 50 60 70 80 90 100(%)

파란색 (32%)	빨간색 (20%)	초록색 (20%)	노란색 (16%)	기타 (12%)

띠그래프의 작은 눈금 한 칸은 1%를 나타냅니다.

빨간색을 좋아하는 학생 수는 전체의 32%입니다. (×)
20%

빨간색과 초록색을 좋아하는 학생 수의 비율이 같습니다. (○)

전체의 16%를 차지하는 색깔은 노란색입니다. (○)

파란색을 좋아하는 학생은 32명입니다. (×)
파란색을 좋아하는 학생 수의 비율이 32%입니다.
전체 학생이 25명이므로 파란색을 좋아하는 학생이 32명은 아닙니다.

> 전체에 대한 각 부분의 비율을 띠 모양에 나타낸 그래프를 띠그래프라고 합니다.
> 띠그래프는 비율 그래프로 자료의 수량을 백분율로 나타낸 그래프입니다.
>
> 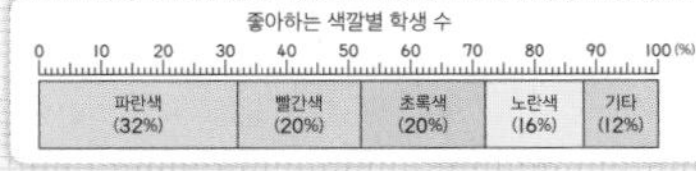
>
>
> 그래프에서 자료의 수가 너무 적어서 따로 표현하기 힘들 때 기타에 넣어서 표현합니다.

12쪽·13쪽

3일차 띠그래프로 나타내기 (1)

현성이네 반 학생들이 좋아하는 빵을 조사하여 나타낸 표입니다. 백분율을 구하여 표를 완성하고 띠그래프를 완성해 보세요.

좋아하는 빵 종류별 학생 수

종류	피자빵	크림빵	야채빵	팥빵	합계
학생 수(명)	16	12	8	4	40
백분율(%)	40	30	20	10	100

피자빵: $\frac{16}{40} \times 100 = 40\%$　　크림빵: $\frac{12}{40} \times 100 = \boxed{30}(\%)$

야채빵: $\frac{8}{40} \times 100 = \boxed{20}(\%)$　　팥빵: $\frac{4}{40} \times 100 = \boxed{10}(\%)$

↓

좋아하는 빵 종류별 학생 수

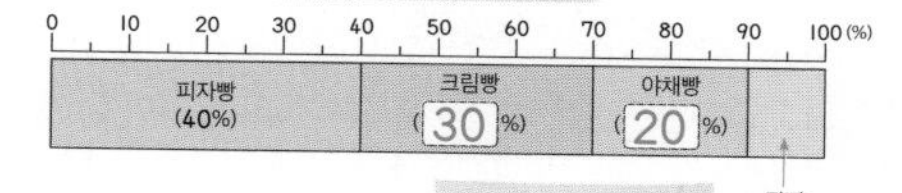

월 일

유하네 마을에서 생산한 곡물의 양을 조사하여 나타낸 표입니다. 백분율을 구하여 표를 완성하고 띠그래프를 완성해 보세요.

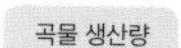

곡물 생산량

곡물	쌀	보리	귀리	수수	합계
생산량(kg)	400	200	160	40	800
백분율(%)	50	25	20	5	100

쌀: $\frac{400}{800} \times \boxed{100} = \boxed{50}(\%)$　　보리: $\frac{200}{800} \times \boxed{100} = \boxed{25}(\%)$

귀리: $\frac{\boxed{160}}{800} \times 100 = \boxed{20}(\%)$　　수수: $\frac{40}{\boxed{800}} \times 100 = \boxed{5}(\%)$

↓

곡물 생산량

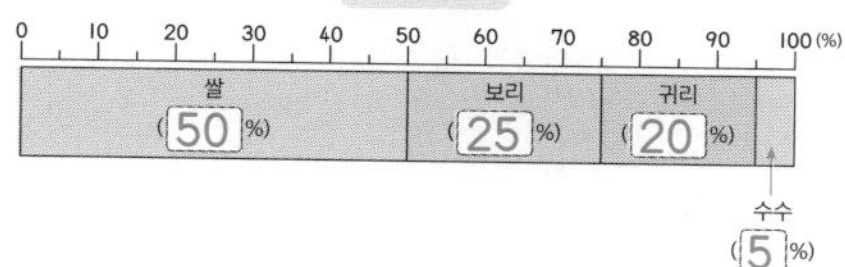

14쪽·15쪽

4일차 띠그래프로 나타내기 (2)

미소네 마을에 있는 종류별 나무 수를 조사하여 나타낸 표입니다. 표를 완성하여 빈칸에 알맞은 수를 써넣고 띠그래프를 완성해 보세요.

종류별 나무 수

종류	소나무	은행나무	단풍나무	느티나무	기타	합계
나무 수(그루)	150	125	100	50	75	500
백분율(%)	30	25	20	10	15	100

마을에 있는 나무는 모두 500 그루입니다.

소나무의 수는 전체의 30 %입니다.

나무 종류별 백분율을 모두 더하면 100 %입니다.

↓

종류별 나무 수

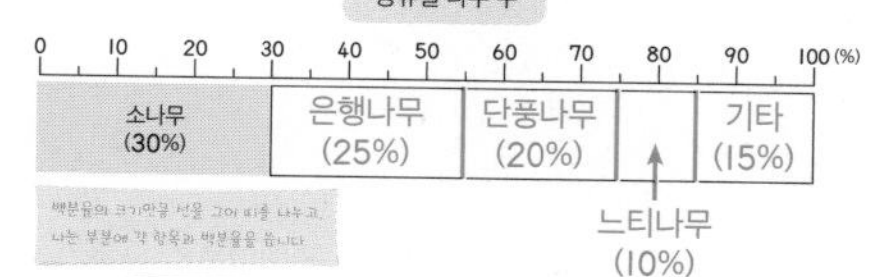

띠그래프로 나타낼 때는 항목 순서와 상관없이 나타내어도 정답이지만 그래프는 자료를 한눈에 보는 것이 목적이므로 항목 순서가 의미 있는 경우에는 순서를 따르고, 의미가 없는 경우에는 비율이 높은 항목부터 왼쪽에서 오른쪽으로, 기타는 가장 오른쪽에 나타냅니다.

월 일

표와 띠그래프를 완성해 보세요.

형제 수별 학생 수

3명 이상: $20-(6+10+3)=1$(명)

형제 수	없음	1명	2명	3명 이상	합계
학생 수(명)	6	10	3	1	20
백분율(%)	30	50	15	5	100

형제 수별 학생 수

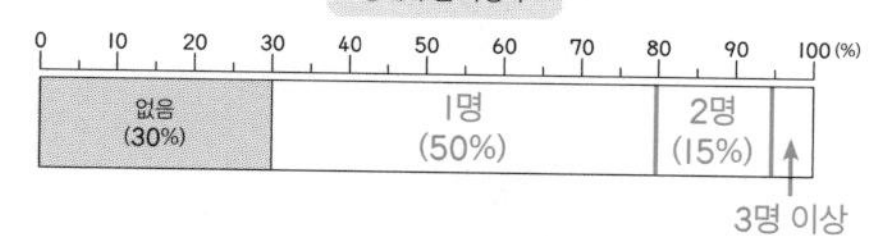

알뜰 시장에서 팔고 싶은 물건별 학생 수

물건	학용품	책	옷	장난감	기타	합계
학생 수(명)	105	60	60	45	30	300
백분율(%)	35	20	20	15	10	100

학용품: $300-(60+60+45+30)$ $=105$(명)

알뜰 시장에서 팔고 싶은 물건별 학생 수

0 10 20 30 40 50 60 70 80 90 100(%)

학용품 (35%)	책 (20%)	옷 (20%)	장난감 (15%)	기타 (10%)

정답

16쪽·17쪽

5일차 띠그래프 그리기

글을 읽고 띠그래프로 나타내어 보세요.

연지네 학교 학생들을 대상으로 여름 방학에 가고 싶은 장소를 조사하였더니 수영장 50%, 바다 25%, 산 15%, 기타 10%입니다.

여름 방학에 가고 싶은 장소별 학생 수

0 10 20 30 40 50 60 70 80 90 100(%)

수영장 (50%)	바다 (25%)	산 (15%)	기타 (10%)

재원이네 마을에서 일주일 동안 나온 재활용 쓰레기 양을 조사하였더니 종이 35%, 플라스틱 30%, 유리 10%, 캔 10%, 기타 15%입니다.

종류별 재활용 쓰레기 양

0 10 20 30 40 50 60 70 80 90 100(%)

종이 (35%)	플라스틱 (30%)	유리 (10%)	캔 (10%)	기타 (15%)

월 일

글을 읽고 표를 완성하여 띠그래프로 나타내어 보세요.

진하네 학교 학생 500명을 대상으로 배우고 싶은 운동을 조사하였더니 태권도가 200명, 축구가 100명, 배드민턴이 100명, 수영이 75명, 농구가 15명, 테니스가 10명입니다.

배우고 싶은 운동별 학생 수

운동	태권도	축구	배드민턴	수영	기타	합계
학생 수(명)	200	100	100	75	25	500
백분율(%)	40	20	20	15	5	100

글과 표의 항목을 보면 농구와 테니스를
기타로 묶어 나타내었습니다.
기타: 15+10=25(명)

배우고 싶은 운동별 학생 수

0 10 20 30 40 50 60 70 80 90 100(%)

태권도 (40%)	축구 (20%)	배드민턴 (20%)	수영 (15%)	기타 (5%)

18쪽

생각 더하기

용돈의 쓰임새

용준이는 일주일 동안 용돈 3000원을 받아서 다음과 같이 썼습니다. 용돈의 쓰임새별 금액을 띠그래프로 나타내어 보세요.

용준: 받은 용돈 중에서 1200원으로 간식을 사고, 900원은 저금을 하고, 600원으로 학용품을 사고, 남은 금액은 기부를 했어.

용돈의 쓰임새별 금액

0 10 20 30 40 50 60 70 80 90 100(%)

간식 (40%)	저금 (30%)	학용품 (20%)	기부 (10%)

항목별 쓴 금액을 백분율로 나타냅니다.
기부: 3000−(1200+900+600)=300(원)

용돈의 쓰임새	간식	저금	학용품	기부	합계
금액(원)	1200	900	600	300	3000
백분율(%)	40	30	20	10	100

2주차: 띠그래프 해석하기

20쪽·21쪽

1일차 띠그래프의 내용 (1)

건우네 반 학생들이 생일에 받고 싶은 선물을 조사하여 나타낸 띠그래프입니다. 빈칸에 알맞은 수 또는 말을 써넣으세요.

받고 싶은 선물별 학생 수

휴대 전화	신발	자전거	책	기타
(45%)	(25%)	(12%)	(10%)	(8%)

가장 많은 학생이 받고 싶은 선물은 [휴대 전화]입니다.
가장 높은 비율인 45%를 차지하는 휴대 전화입니다.

기타를 제외하고 가장 적은 학생이 받고 싶은 선물은 [책]입니다.
기타 제외 가장 낮은 비율인 10%를 차지하는 책입니다.

둘째로 높은 비율을 차지하는 선물의 비율은 [25]%입니다.
신발을 받고 싶은 학생 수는 전체의 25%입니다.

휴대 전화 또는 신발을 받고 싶은 학생 수는 전체의 [70]%입니다.
휴대 전화와 신발을 받고 싶은 학생 수의 비율을 더합니다. 45+25=70(%)

자전거 또는 책을 받고 싶은 학생 수는 전체의 [22]%입니다.
12+10=22(%)

전체의 $\frac{1}{4}$을 차지하는 선물은 [신발]입니다.
$\frac{1}{4}\times100=25(\%)$, 25%를 차지하는 선물은 신발입니다.

해인이네 학교 화단에 심은 꽃의 수를 조사하여 나타낸 띠그래프입니다. 물음에 답하세요.

종류별 꽃의 수

장미	민들레	튤립	수선화	기타
(35%)	(25%)	(20%)	(15%)	(5%)

어느 꽃의 비율이 가장 높은가요?
(장미)

심은 꽃의 비율이 20% 이상인 꽃을 모두 써 보세요.
(장미, 민들레, 튤립)

장미 또는 민들레의 수는 전체의 몇 %인가요?
35+25=60(%)
(60)%

튤립 또는 수선화의 수는 전체의 몇 %인가요?
20+15=35(%)
(35)%

22쪽·23쪽

2일차 띠그래프의 내용 (2)

은서네 학교 학생들의 취미를 조사하여 나타낸 띠그래프입니다. 빈칸에 알맞은 수 또는 말을 써넣으세요.

취미별 학생 수

독서	운동	음악 감상	요리	기타
(45%)	(30%)	(15%)	(5%)	(5%)

취미가 독서인 학생 수는 취미가 음악 감상인 학생 수의 [3]배입니다.
45%는 15%의 3배입니다.

취미가 운동인 학생 수는 취미가 요리인 학생 수의 [6]배입니다.
30%는 5%의 6배입니다.

학생 수가 음악 감상의 2배인 취미는 [운동]입니다.
15%의 2배는 30%입니다.

학생 수가 요리의 3배인 취미는 [음악 감상]입니다.
5%의 3배는 15%입니다.

취미가 독서 또는 운동인 학생 수는 취미가 음악 감상인 학생 수의 [5]배입니다.
독서 또는 운동: 45+30=75(%)
75%는 15%의 5배입니다.

농장에 있는 동물의 수를 조사하여 나타낸 띠그래프입니다. 물음에 답하세요.

종류별 동물 수

닭	돼지	염소	소	기타
(□%)	(□%)	(15%)	(10%)	(15%)

닭의 수는 소의 수의 4배입니다. 닭의 수는 전체의 몇 %인가요?
10%의 4배는 40%입니다.
(40)%

닭의 수는 돼지의 수의 2배입니다. 돼지의 수는 전체의 몇 %인가요?
40%는 20%의 2배입니다.
(20)%

돼지의 수는 소의 수의 몇 배인가요?
20%는 10%의 2배입니다.
(2)배

닭 또는 돼지의 수는 염소의 수의 몇 배인가요?
닭 또는 돼지: 40+20=60(%)
60%는 15%의 4배입니다.
(4)배

24쪽 · 25쪽

3일차 수량 구하기 (1)

■ 한승이네 학교 학생들의 혈액형을 조사하여 나타낸 띠그래프입니다. 빈칸에 알맞은 수를 써넣으세요.

혈액형별 학생 수

A형 (40%)	B형 (30%)	O형 (20%)	AB형 (10%)

A형인 학생 수는 O형인 학생 수의 [2]배입니다.

O형인 학생이 100명이라면 A형인 학생은 [200]명입니다.
100명의 2배인 200명입니다.

B형인 학생 수는 AB형인 학생 수의 [3]배입니다.

B형인 학생이 150명이라면 AB형인 학생은 [50]명입니다.
150명을 3으로 나눈 50명입니다.

전체 학생 수는 O형인 학생 수의 [5]배입니다.

O형인 학생이 100명이라면 전체 학생은 [500]명입니다.
100명의 5배인 500명입니다.

> [띠그래프에서 수량을 구하는 방법 1]
> 한 비율이 다른 비율의 **몇 배**인지 구하여 수량을 구합니다.
> 전체 학생 수의 비율(100%)은 O형인 학생 수의 비율(20%)의 5배입니다.
> 따라서 전체 학생이 500명이라면 O형인 학생은 500명을 5로 나눈 100명입니다.

■ 현수네 학교 학생들이 배우고 싶은 외국어를 조사하여 나타낸 띠그래프입니다. 물음에 답하세요.

배우고 싶은 외국어별 학생 수

영어 (50%)	중국어 (24%)	일본어 (15%)	독일어 (6%)	기타 (5%)

독일어를 배우고 싶은 학생이 24명이라면 중국어를 배우고 싶은 학생은 몇 명인가요?

24%는 6%의 4배이므로 중국어를 배우고 싶은 학생은 24명의 4배인 96명입니다. (96)명

일본어를 배우고 싶은 학생이 60명이라면 기타에 속하는 학생은 몇 명인가요?

15%는 5%의 3배이므로 기타에 속한 학생은 60명을 3으로 나눈 20명입니다. (20)명

영어를 배우고 싶은 학생이 200명이라면 전체 학생은 몇 명인가요?

100%는 50%의 2배이므로 전체 학생은 200명의 2배인 400명입니다. (400)명

26쪽 · 27쪽

4일차 수량 구하기 (2)

■ 세희네 학교 학생 300명의 장래 희망을 조사하여 나타낸 띠그래프입니다. 빈칸에 알맞은 수를 써넣으세요.

장래 희망별 학생 수

선생님 (30%)	의사 (25%)	요리사 (15%)	연예인 (10%)	운동선수 (5%)	기타 (15%)

선생님: $300 \times \frac{30}{100} = 90$(명)

의사: $300 \times \frac{25}{100} = [75]$(명)

요리사: $300 \times \frac{[15]}{100} = [45]$(명)

연예인: $[300] \times \frac{10}{100} = [30]$(명)

운동선수: $300 \times \frac{[5]}{100} = [15]$(명)

기타: $[300] \times \frac{15}{100} = [45]$(명)

> [띠그래프에서 수량을 구하는 방법 2]
> 전체 수량에 **비율을 곱하여** 수량을 구합니다.
> 장래 희망이 선생님인 학생 수는 전체의 30%입니다. 따라서 전체 학생이 300명이라면
> 장래 희망이 선생님인 학생은 300의 30%, 즉 $300 \times \frac{30}{100} = 90$(명)입니다.

■ 물음에 답하세요.

준이네 반 학생 25명이 좋아하는 과일을 조사하여 나타낸 띠그래프입니다. 포도를 좋아하는 학생은 몇 명일까요?

좋아하는 과일별 학생 수

수박 (32%)	포도 (24%)	배 (16%)	귤 (12%)	기타 (16%)

$25 \times \frac{24}{100} = 6$(명) (6)명

일주일 동안 박물관을 관람한 연령별 방문자 수를 조사하여 나타낸 띠그래프입니다. 전체 방문자 수가 1200명이라면 40세 이상은 몇 명일까요?

연령별 방문자 수

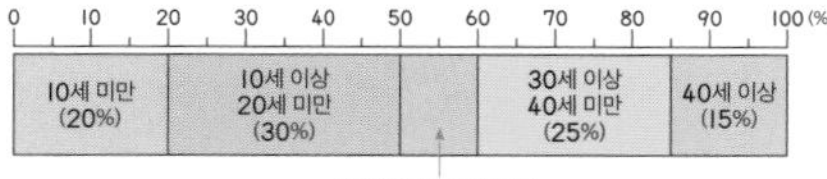

$1200 \times \frac{15}{100} = 180$(명) (180)명

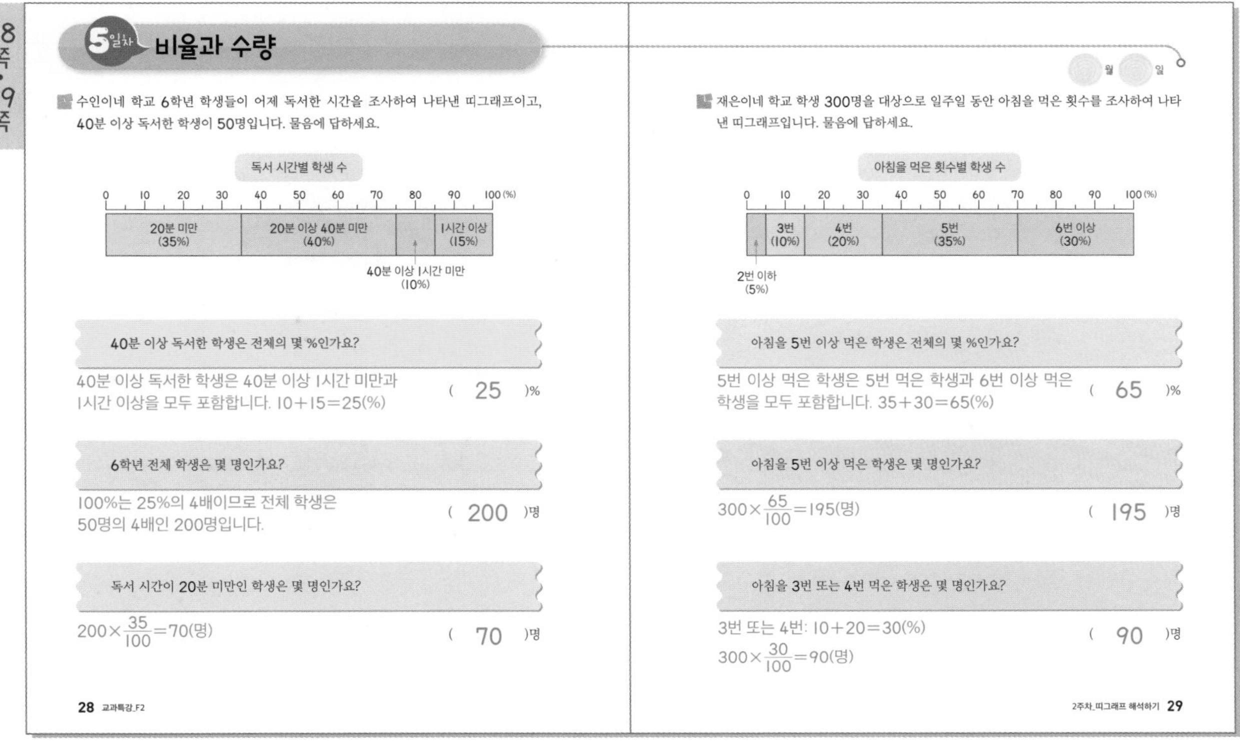

5일차 비율과 수량

월 일

수인이네 학교 6학년 학생들이 어제 독서한 시간을 조사하여 나타낸 띠그래프이고, 40분 이상 독서한 학생이 50명입니다. 물음에 답하세요.

40분 이상 독서한 학생은 전체의 몇 %인가요?

40분 이상 독서한 학생은 40분 이상 1시간 미만과 1시간 이상을 모두 포함합니다. $10+15=25(\%)$

(25)%

6학년 전체 학생은 몇 명인가요?

100%는 25%의 4배이므로 전체 학생은 50명의 4배인 200명입니다.

(200)명

독서 시간이 20분 미만인 학생은 몇 명인가요?

$200\times\frac{35}{100}=70$(명)

(70)명

재은이네 학교 학생 300명을 대상으로 일주일 동안 아침을 먹은 횟수를 조사하여 나타낸 띠그래프입니다. 물음에 답하세요.

아침을 5번 이상 먹은 학생은 전체의 몇 %인가요?

5번 이상 먹은 학생은 5번 먹은 학생과 6번 이상 먹은 학생을 모두 포함합니다. $35+30=65(\%)$

(65)%

아침을 5번 이상 먹은 학생은 몇 명인가요?

$300\times\frac{65}{100}=195$(명)

(195)명

아침을 3번 또는 4번 먹은 학생은 몇 명인가요?

3번 또는 4번: $10+20=30(\%)$

$300\times\frac{30}{100}=90$(명)

(90)명

28 교과특강_F2

2주차_띠그래프 해석하기 29

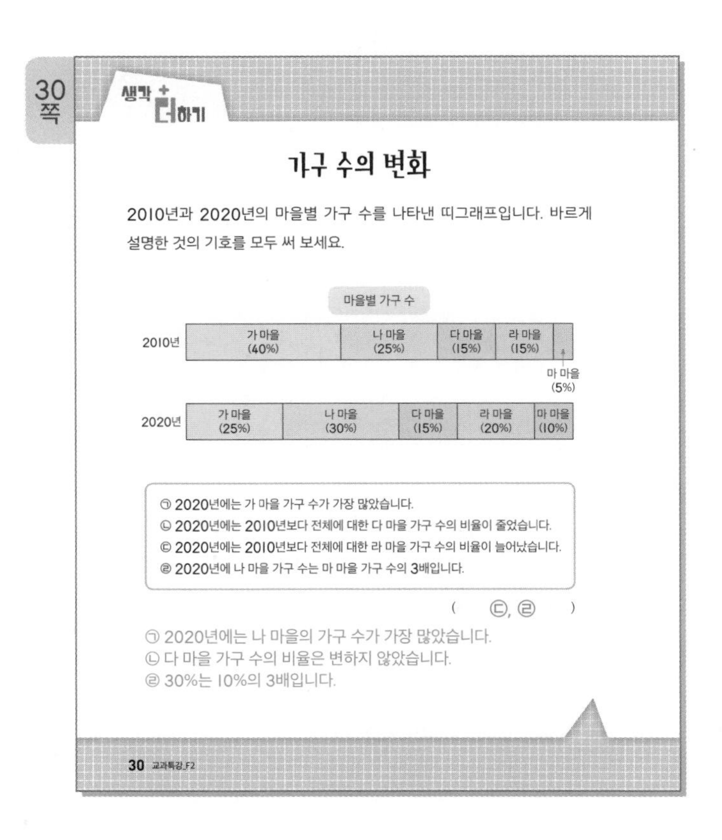

30쪽

생각 더하기

가구 수의 변화

2010년과 2020년의 마을별 가구 수를 나타낸 띠그래프입니다. 바르게 설명한 것의 기호를 모두 써 보세요.

㉠ 2020년에는 가 마을 가구 수가 가장 많았습니다.
㉡ 2020년에는 2010년보다 전체에 대한 다 마을 가구 수의 비율이 줄었습니다.
㉢ 2020년에는 2010년보다 전체에 대한 라 마을 가구 수의 비율이 늘어났습니다.
㉣ 2020년에 나 마을 가구 수는 마 마을 가구 수의 3배입니다.

(㉢, ㉣)

㉠ 2020년에는 나 마을의 가구 수가 가장 많았습니다.
㉡ 다 마을 가구 수의 비율은 변하지 않았습니다.
㉣ 30%는 10%의 3배입니다.

30 교과특강_F2

정답

3주차: 원그래프

32쪽·33쪽

1일차 원그래프 알기

수린이네 학교 학생들이 관람하고 싶은 운동 경기를 조사하여 나타낸 표와 원그래프입니다. 빈칸에 알맞은 수 또는 말을 써넣으세요.

관람하고 싶은 운동 경기별 학생 수

운동 경기	야구	축구	배구	농구	기타	합계
학생 수(명)	60	50	40	30	20	200
백분율(%)	30	25	20	15	10	100

관람하고 싶은 운동 경기별 학생 수

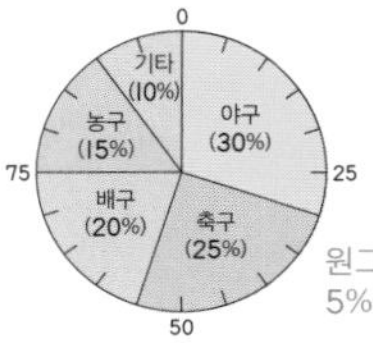

원그래프의 눈금 한 칸은 5%를 나타냅니다.

야구를 관람하고 싶은 학생 수는 전체의 30 %입니다.
눈금 6칸이므로 30%입니다.

배구를 관람하고 싶은 학생 수는 전체의 20 %입니다.
눈금 4칸이므로 20%입니다.

전체의 25%가 관람하고 싶은 운동 경기는 축구 입니다.
눈금 5칸을 차지하는 것은 축구입니다.

전체의 15%가 관람하고 싶은 운동 경기는 농구 입니다.
눈금 3칸을 차지하는 것은 농구입니다.

월 일

어느 과수원에서 1년 동안 수확한 과일을 조사하여 나타낸 원그래프입니다. 올바른 말에 ◯표, 틀린 말에 ×표 하세요.

과일별 수확량

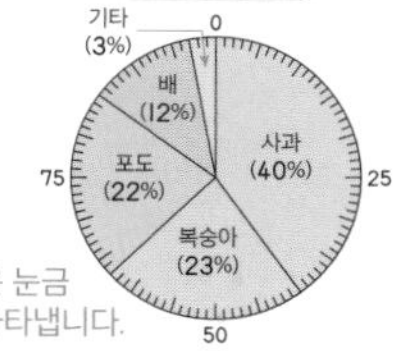

원그래프의 작은 눈금 한 칸은 1%를 나타냅니다.

사과 수확량은 전체의 40%입니다. (◯)

전체의 12%를 차지하는 과일은 배입니다. (◯)

복숭아와 포도의 수확량은 같습니다. (×)
복숭아는 전체의 23%, 포도는 전체의 22%입니다.

전체에 대한 각 부분의 비율을 원 모양에 나타낸 그래프를 원그래프라고 합니다.
원그래프는 띠그래프와 같은 비율 그래프로 자료의 수량을 백분율로 나타낸 그래프입니다.

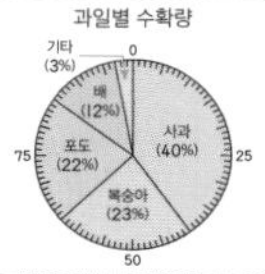

과일별 수확량

34쪽·35쪽

2일차 띠그래프와 원그래프

승아네 학교 학생들을 대상으로 여러 가지를 조사하여 나타낸 띠그래프를 살펴보세요.

장래 희망별 학생 수

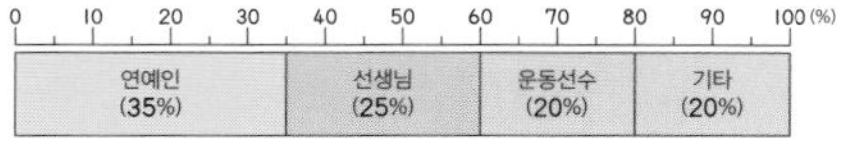

태어난 계절별 학생 수

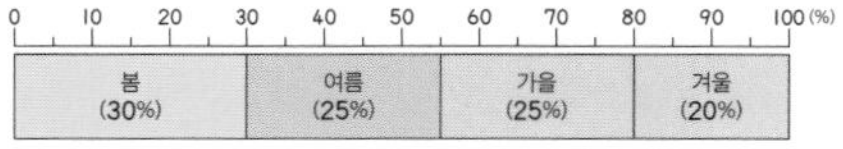

가구원 수별 학생 수

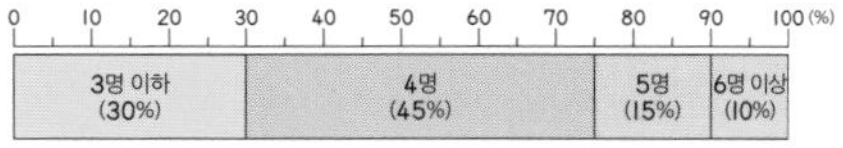

좋아하는 운동별 학생 수

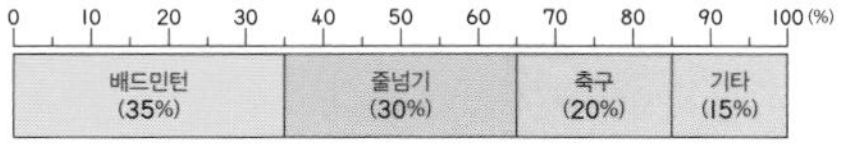

월 일

왼쪽 띠그래프를 원그래프로 나타내려고 합니다. 비율이 바르게 나누어진 것을 찾아 항목과 비율, 제목을 써넣어 원그래프를 완성해 보세요.

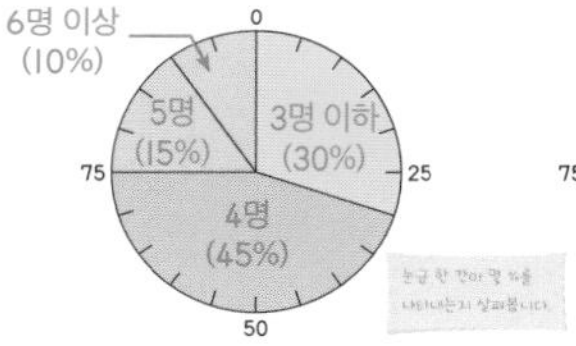

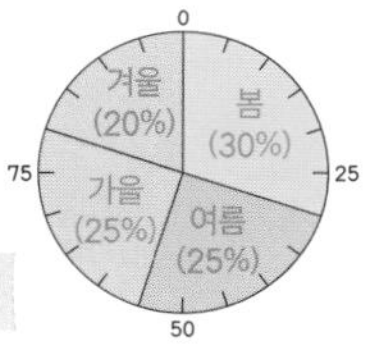

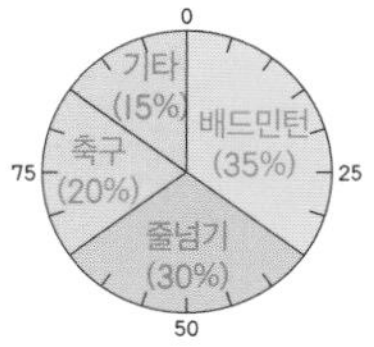

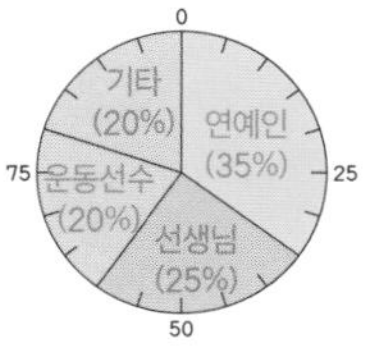

가구원 수별 학생 수

태어난 계절별 학생 수

좋아하는 운동별 학생 수

장래 희망별 학생 수

36쪽 · 37쪽

3일차 원그래프로 나타내기 (1)

건희네 반 학생들이 좋아하는 계절을 조사하여 나타낸 표입니다. 백분율을 구하여 표를 완성하고 원그래프를 완성해 보세요.

좋아하는 계절별 학생 수

계절	봄	여름	가을	겨울	합계
학생 수(명)	5	10	7	3	25
백분율(%)	20	40	28	12	100

봄: $\frac{5}{25}\times 100=20\%$

여름: $\frac{10}{25}\times 100=$ 40 (%)

가을: $\frac{7}{25}\times 100=$ 28 (%)

겨울: $\frac{3}{25}\times 100=$ 12 (%)

↓

좋아하는 계절별 학생 수

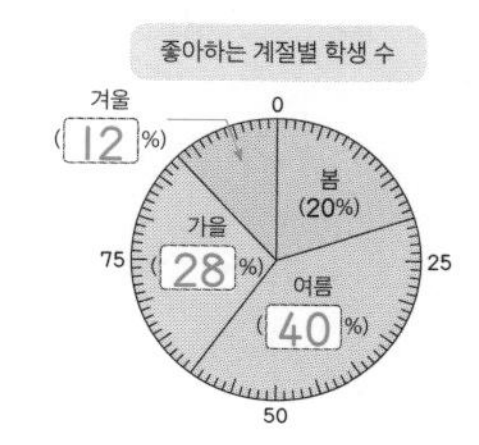

준호네 학교 학생들이 등교하는 방법을 조사하여 나타낸 표입니다. 백분율을 구하여 표를 완성하고 원그래프를 완성해 보세요.

등교 방법별 학생 수

등교 방법	도보	자전거	버스	기타	합계
학생 수(명)	195	60	30	15	300
백분율(%)	65	20	10	5	100

도보: $\frac{195}{300}\times$ 100 = 65 (%)

자전거: $\frac{60}{300}\times$ 100 = 20 (%)

버스: $\frac{30}{300}\times 100=$ 10 (%)

기타: $\frac{15}{300}\times 100=$ 5 (%)

↓

등교 방법별 학생 수

38쪽 · 39쪽

4일차 원그래프로 나타내기 (2)

소민이네 학교 학생들이 가고 싶은 유적지를 조사하여 나타낸 표입니다. 표를 완성하여 빈칸에 알맞은 수를 써넣고 원그래프를 완성해 보세요.

가고 싶은 유적지별 학생 수

유적지	석굴암	경복궁	첨성대	광화문	기타	합계
학생 수(명)	140	80	80	60	40	400
백분율(%)	35	20	20	15	10	100

전체 학생은 400 명입니다.

석굴암에 가고 싶은 학생 수는 전체의 35 %입니다.

유적지별 백분율을 모두 더하면 100 %입니다.

↓

가고 싶은 유적지별 학생 수

원그래프로 나타낼 때는 항목 순서와 상관없이 나타내어도 정답이지만 그래프는 자료를 한눈에 보는 것이 목적이므로 항목 순서가 의미 있는 경우에는 순서를 따라 0부터 시계 방향으로 배열하고, 의미가 없는 경우에는 비율이 높은 순서대로 0부터 시계 방향으로 배열하고 기타는 가장 나중에 나타냅니다.

표와 원그래프를 완성해 보세요.

11월의 날씨별 날수

날씨	날수(일)	백분율(%)
맑음	12	40
흐림	9	30
비 옴	6	20
눈 옴	3	10
합계	30	100

11월의 날씨별 날수

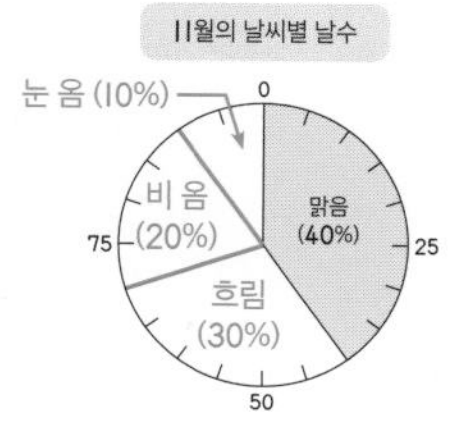

좋아하는 과목별 학생 수

과목	학생 수(명)	백분율(%)
사회	60	30
수학	50	25
영어	40	20
체육	30	15
기타	20	10
합계	200	100

좋아하는 과목별 학생 수

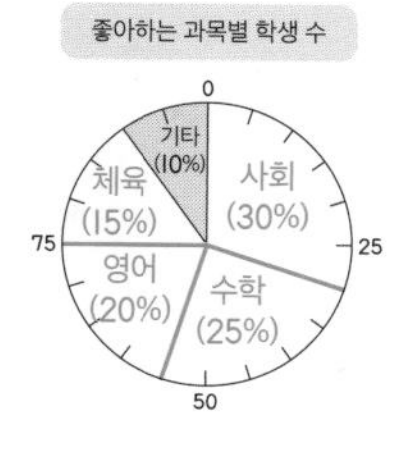

40쪽 · 41쪽

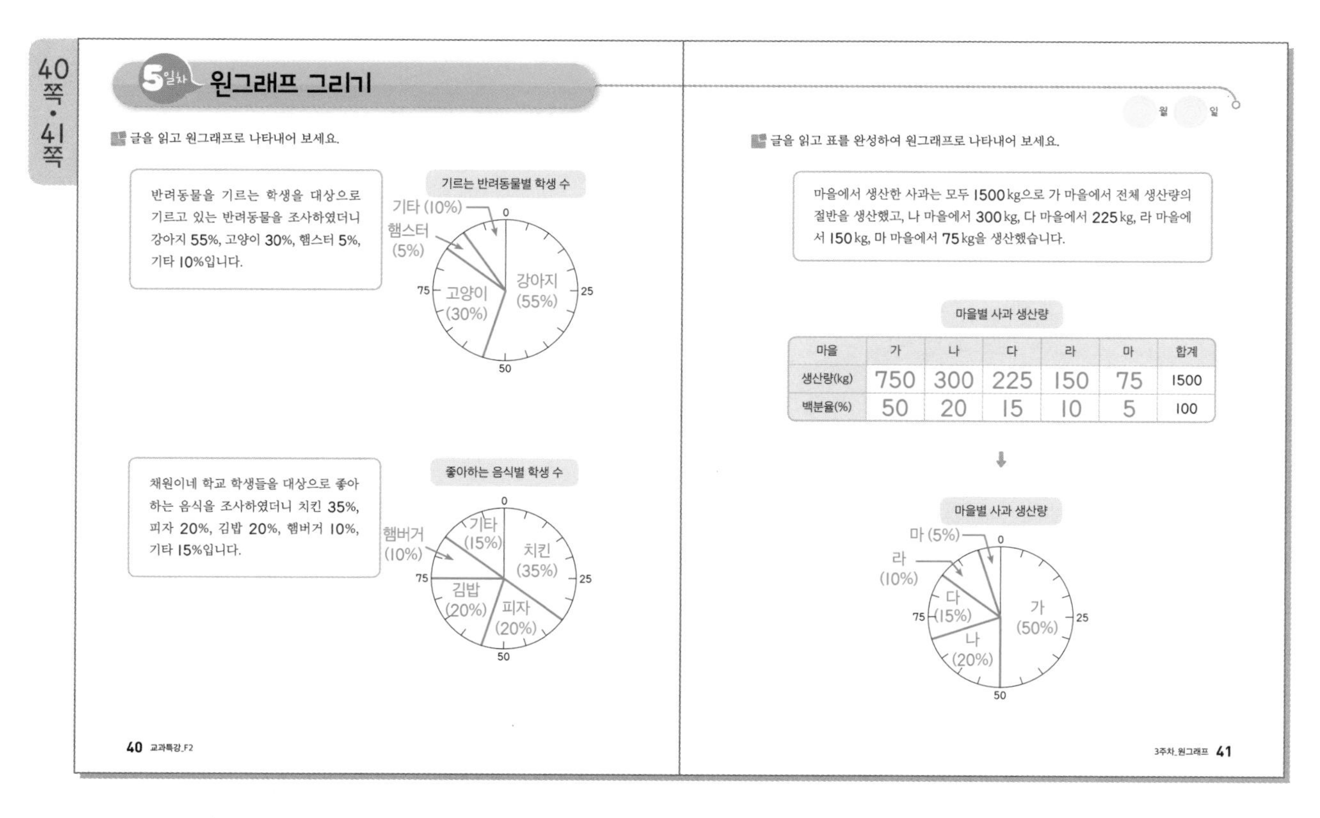

5일차 원그래프 그리기

글을 읽고 원그래프로 나타내어 보세요.

반려동물을 기르는 학생을 대상으로 기르고 있는 반려동물을 조사하였더니 강아지 55%, 고양이 30%, 햄스터 5%, 기타 10%입니다.

채원이네 학교 학생들을 대상으로 좋아하는 음식을 조사하였더니 치킨 35%, 피자 20%, 김밥 20%, 햄버거 10%, 기타 15%입니다.

월 일

글을 읽고 표를 완성하여 원그래프로 나타내어 보세요.

마을에서 생산한 사과는 모두 1500 kg으로 가 마을에서 전체 생산량의 절반을 생산했고, 나 마을에서 300 kg, 다 마을에서 225 kg, 라 마을에서 150 kg, 마 마을에서 75 kg을 생산했습니다.

마을별 사과 생산량

마을	가	나	다	라	마	합계
생산량(kg)	750	300	225	150	75	1500
백분율(%)	50	20	15	10	5	100

42쪽

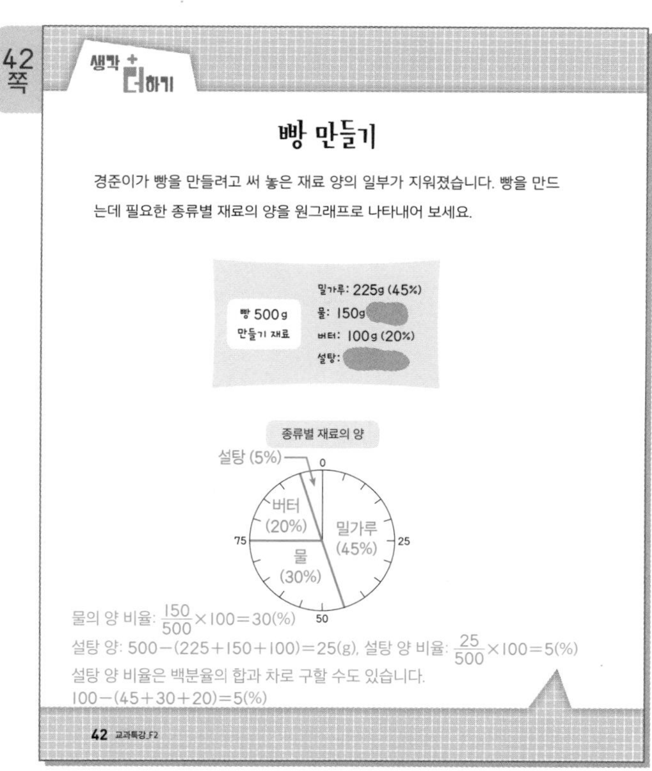

생각 더하기

빵 만들기

경준이가 빵을 만들려고 써 놓은 재료 양의 일부가 지워졌습니다. 빵을 만드는데 필요한 종류별 재료의 양을 원그래프로 나타내어 보세요.

물의 양 비율: $\frac{150}{500}\times 100=30(\%)$

설탕 양: $500-(225+150+100)=25(g)$, 설탕 양 비율: $\frac{25}{500}\times 100=5(\%)$

설탕 양 비율은 백분율의 합과 차로 구할 수도 있습니다.

$100-(45+30+20)=5(\%)$

4주차: 원그래프 해석하기

44쪽 · 45쪽

1일차 원그래프의 내용 (1)

■ 은준이네 학교 학생들이 가고 싶은 산을 조사하여 나타낸 원그래프입니다. 빈칸에 알맞은 수 또는 말을 써넣으세요.

가고 싶은 산별 학생 수

0, 25, 50, 75

속리산 (5%), 기타 (10%), 한라산 (35%), 지리산 (30%), 설악산 (20%)

가장 많은 학생이 가고 싶은 산은 [한라산]입니다.
가장 높은 비율인 35%를 차지하는 한라산입니다.

기타를 제외하고 가장 적은 학생이 가고 싶은 산은 [속리산]입니다.
기타 제외 가장 낮은 비율인 5%를 차지하는 속리산입니다.

전체의 $\frac{1}{5}$을 차지하는 산은 [설악산]입니다.
$\frac{1}{5}\times100=20(\%)$, 20%를 차지하는 산은 설악산입니다.

지리산 또는 설악산에 가고 싶은 학생 수는 전체의 [50]%입니다.
$30+20=50(\%)$

한라산을 제외한 나머지 산에 가고 싶은 학생 수는 전체의 [65]%입니다.
$100-35=65(\%)$ 또는 $30+20+5+10=65(\%)$

월 일

■ 연서네 학교 학생들의 혈액형을 조사하여 나타낸 원그래프입니다. 물음에 답하세요.

혈액형별 학생 수

0, 25, 50, 75

AB형 (22%), A형 (33%), O형 (18%), B형 (27%)

어느 혈액형의 비율이 가장 낮은가요? (O)형

혈액형 중 30% 이상을 차지하는 혈액형을 써 보세요. (A)형

둘째로 높은 비율을 차지하는 혈액형을 써 보세요. (B)형
가장 높은 비율은 A형, 둘째로 높은 비율은 B형입니다.

O형 또는 AB형인 학생 수는 전체의 몇 %인가요? (40)%
$18+22=40(\%)$

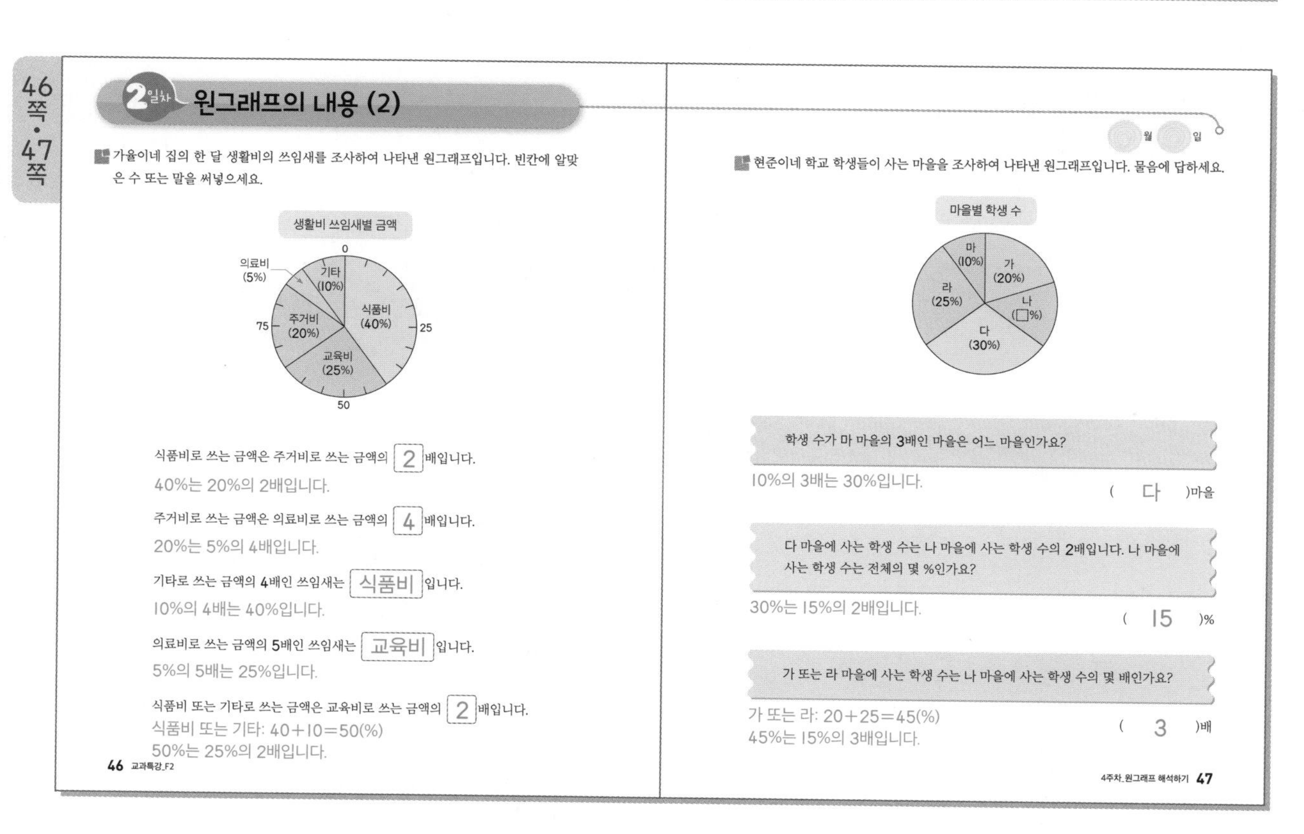

46쪽 · 47쪽

2일차 원그래프의 내용 (2)

■ 가율이네 집의 한 달 생활비의 쓰임새를 조사하여 나타낸 원그래프입니다. 빈칸에 알맞은 수 또는 말을 써넣으세요.

생활비 쓰임새별 금액

0, 25, 50, 75

의료비 (5%), 기타 (10%), 식품비 (40%), 교육비 (25%), 주거비 (20%)

식품비로 쓰는 금액은 주거비로 쓰는 금액의 [2]배입니다.
40%는 20%의 2배입니다.

주거비로 쓰는 금액은 의료비로 쓰는 금액의 [4]배입니다.
20%는 5%의 4배입니다.

기타로 쓰는 금액의 4배인 쓰임새는 [식품비]입니다.
10%의 4배는 40%입니다.

의료비로 쓰는 금액의 5배인 쓰임새는 [교육비]입니다.
5%의 5배는 25%입니다.

식품비 또는 기타로 쓰는 금액은 교육비로 쓰는 금액의 [2]배입니다.
식품비 또는 기타: $40+10=50(\%)$
50%는 25%의 2배입니다.

월 일

■ 현준이네 학교 학생들이 사는 마을을 조사하여 나타낸 원그래프입니다. 물음에 답하세요.

마을별 학생 수

마 (10%), 가 (20%), 나 (□%), 다 (30%), 라 (25%)

학생 수가 마 마을의 3배인 마을은 어느 마을인가요?
10%의 3배는 30%입니다.
(다)마을

다 마을에 사는 학생 수는 나 마을에 사는 학생 수의 2배입니다. 나 마을에 사는 학생 수는 전체의 몇 %인가요?
30%는 15%의 2배입니다.
(15)%

가 또는 라 마을에 사는 학생 수는 나 마을에 사는 학생 수의 몇 배인가요?
가 또는 라: $20+25=45(\%)$
45%는 15%의 3배입니다.
(3)배

정답

48쪽 · 49쪽

3일차 수량 구하기 (1)

월 일

성현이네 지역에 있는 병원 종류를 조사하여 나타낸 원그래프입니다. 빈칸에 알맞은 수를 써넣고 표를 완성해 보세요.

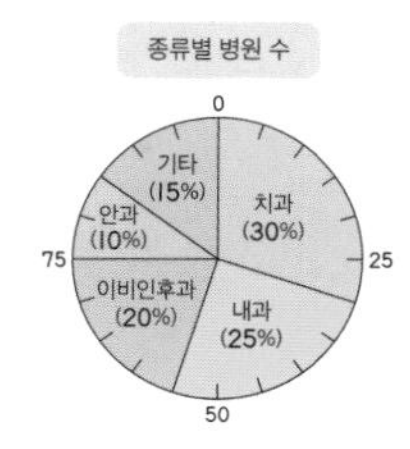

종류별 병원 수

종류	치과	내과	이비인후과	안과	기타	합계
병원 수(곳)	78	65	52	26	39	260
백분율(%)	30	25	20	10	15	100

이비인후과 수는 안과 수의 [2]배입니다.

20%는 10%의 2배이므로 안과 수는 52곳을 2로 나눈 26곳입니다.

치과 수는 안과 수의 [3]배입니다.

30%는 10%의 3배이므로 치과 수는 26곳의 3배인 78곳입니다.

전체 병원 수는 내과의 [4]배입니다.

100%는 25%의 4배이므로 전체 병원 수는 65곳의 4배인 260곳입니다.

진원이네 학교 학생들이 좋아하는 급식 메뉴를 조사하여 나타낸 원그래프입니다. 물음에 답하세요.

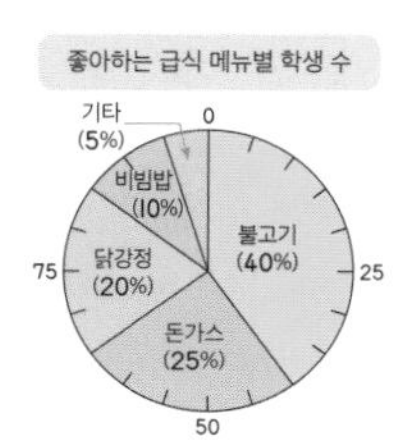

기타에 속하는 메뉴를 좋아하는 학생이 15명이라면 돈가스를 좋아하는 학생은 몇 명인가요? (75)명

25%는 5%의 5배이므로 돈가스를 좋아하는 학생은 15명의 5배인 75명입니다.

불고기를 좋아하는 학생이 120명이라면 비빔밥을 좋아하는 학생은 몇 명인가요? (30)명

40%는 10%의 4배이므로 비빔밥을 좋아하는 학생은 120명을 4로 나눈 30명입니다.

닭강정을 좋아하는 학생이 60명이라면 전체 학생은 몇 명인가요? (300)명

100%는 20%의 5배이므로 전체 학생은 60명의 5배인 300명입니다.

50쪽 · 51쪽

4일차 수량 구하기 (2)

월 일

수민이네 학교 6학년 학생들이 존경하는 위인을 조사하여 나타낸 원그래프입니다. 빈칸에 알맞은 수를 써넣고 표를 완성해 보세요.

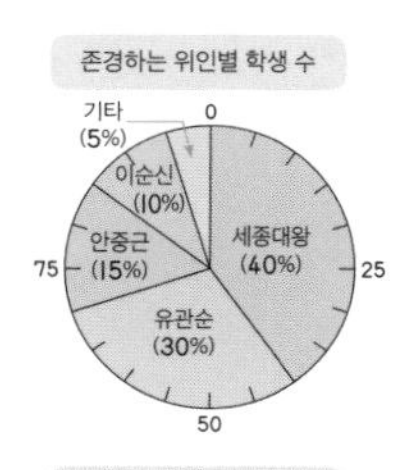

존경하는 위인별 학생 수

위인	세종대왕	유관순	안중근	이순신	기타	합계
학생 수(명)	24	18	9	6	3	60
백분율(%)	40	30	15	10	5	100

세종대왕: $60 \times \frac{40}{100} = 24$(명)

유관순: $60 \times \frac{30}{100} = \boxed{18}$(명)

안중근: $\boxed{60} \times \frac{15}{100} = \boxed{9}$(명)

이순신: $\boxed{60} \times \frac{10}{100} = \boxed{6}$(명)

전체 수량에 비율을 곱하면 항목의 수량입니다.

기타: $60 \times \frac{\boxed{5}}{100} = \boxed{3}$(명)

물음에 답하세요.

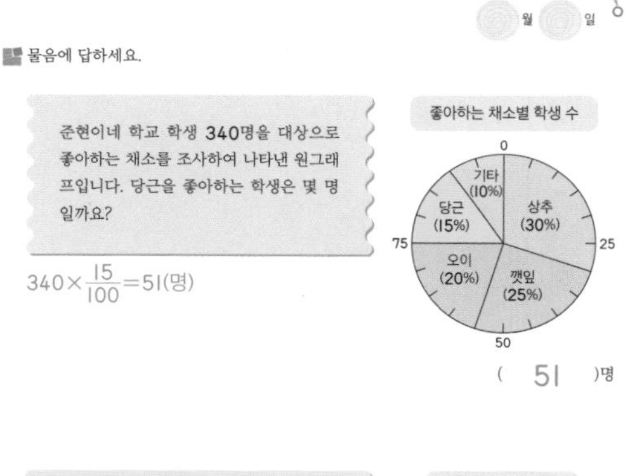

$340 \times \frac{15}{100} = 51$(명)

(51)명

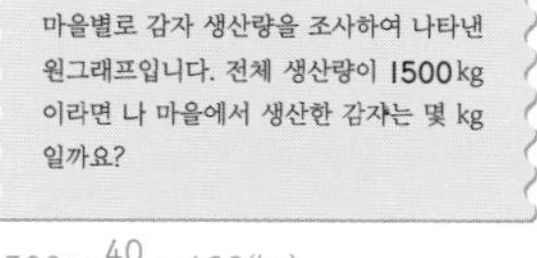

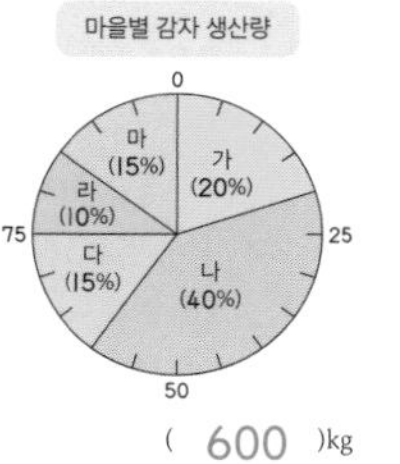

$1500 \times \frac{40}{100} = 600$(kg)

(600)kg

52쪽·53쪽

5일차 비율과 수량

채은이네 학교 학생들이 하루에 휴대 전화를 사용하는 시간을 조사하여 나타낸 원그래프이고, 휴대 전화를 1시간 이상 사용하는 학생이 100명입니다. 물음에 답하세요.

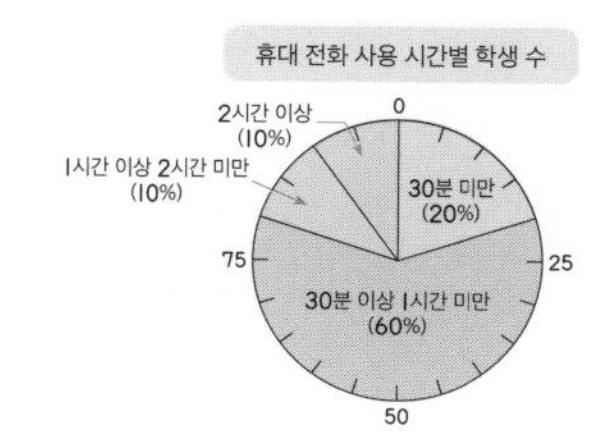

휴대 전화를 1시간 이상 사용하는 학생 수는 전체의 몇 %인가요?

1시간 이상 독서한 학생은 1시간 이상 2시간 미만과 2시간 이상을 모두 포함합니다. $10+10=20(\%)$ (20)%

채은이네 학교 학생은 모두 몇 명인가요?

100%는 20%의 5배이므로 전체 학생은 100명의 5배인 500명입니다. (500)명

휴대 전화를 30분 이상 1시간 미만으로 사용하는 학생은 몇 명인가요?

$500\times\frac{60}{100}=300$(명) (300)명

월 일

재인이네 학교 6학년 학생 220명을 대상으로 일주일 동안 읽은 책 수를 조사하여 나타낸 원그래프입니다. 물음에 답하세요.

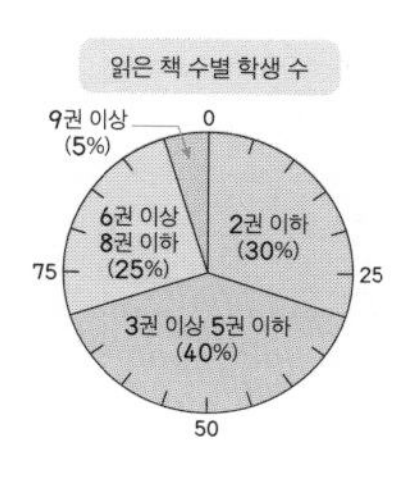

책을 5권 이하로 읽은 학생은 전체의 몇 %인가요?

책을 5권 이하로 읽은 학생은 3권 이상 5권 이하와 2권 이하를 모두 포함합니다. $40+30=70(\%)$ (70)%

책을 5권 이하로 읽은 학생은 몇 명인가요?

$220\times\frac{70}{100}=154$(명) (154)명

책을 6권 이상 읽은 학생은 몇 명인가요?

6권 이상: $25+5=30(\%)$
$220\times\frac{30}{100}=66$(명) (66)명

54쪽

생각 더하기

동물 수의 변화

어느 농장에서 2000년과 2020년의 기르는 종류별 동물 수를 조사하여 나타낸 원그래프입니다. 바르게 설명한 것의 기호를 모두 써 보세요.

종류별 동물 수

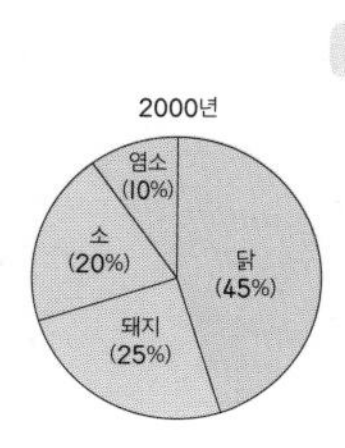

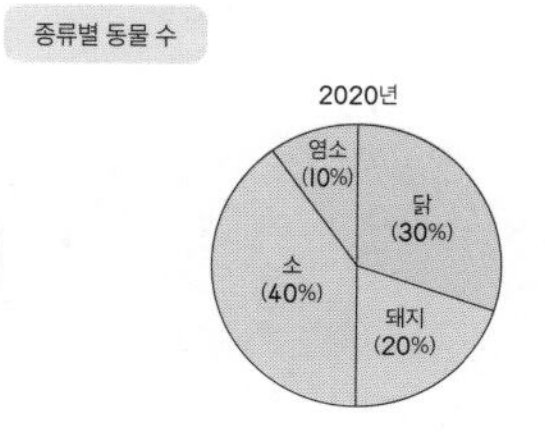

㉠ 2000년과 2020년에 전체에 대한 염소 수의 비율은 변하지 않았습니다.
㉡ 2020년에 가장 높은 비율을 차지하는 동물은 닭입니다.
㉢ 2020년에는 2000년보다 전체에 대한 소 수의 비율이 2배로 늘어났습니다.
㉣ 2020년에는 2000년보다 전체에 대한 돼지 수의 비율이 늘어났습니다.

(㉠, ㉢)

㉠ 10%로 같습니다.
㉡ 2020년에 비율이 가장 높은 동물은 소입니다.
㉣ 전체에 대한 돼지 수의 비율은 줄어들었습니다.

정답

링크: 그래프의 활용

56쪽·57쪽

LINK 1 수량의 비교

민재네 학교 5학년과 6학년의 남학생 수와 여학생 수를 조사하여 나타낸 띠그래프입니다. 물음에 답하세요.

남학생과 여학생 수

	남학생	여학생
5학년	남학생 (55%)	여학생 (45%)
6학년	남학생 (55%)	여학생 (45%)

5학년 학생 수는 160명입니다. 5학년 남학생은 몇 명인가요?

$160\times\frac{55}{100}=88$(명) (88)명

6학년 학생 수는 180명입니다. 6학년 남학생은 몇 명인가요?

$180\times\frac{55}{100}=99$(명) (99)명

5학년과 6학년 중 남학생은 어느 학년이 몇 명 더 많은가요?

$99-88=11$(명) (6)학년, (11)명

월 일

수민이네 학교 6학년 1반과 2반에 있는 학급문고를 조사하여 나타낸 원그래프입니다. 물음에 답하세요.

1반 학급문고의 종류별 책 수: 동화책 (30%), 위인전 (20%), 역사책 (20%), 만화책 (15%), 기타 (15%)

2반 학급문고의 종류별 책 수: 위인전 (35%), 역사책 (25%), 동화책 (20%), 만화책 (15%), 기타 (5%)

1반에 있는 역사책은 17권입니다. 1반 학급문고의 책은 모두 몇 권인가요?

100%는 20%의 5배이므로 1반 학급문고의 책은 17권의 5배인 85권입니다. (85)권

2반에 있는 역사책은 20권입니다. 2반 학급문고의 책은 모두 몇 권인가요?

100%는 25%의 4배이므로 2반 학급문고의 책은 20권의 4배인 80권입니다. (80)권

1반과 2반 중 학급문고의 책은 어느 반이 몇 권 더 많은가요?

$85-80=5$(권) (1)반, (5)권

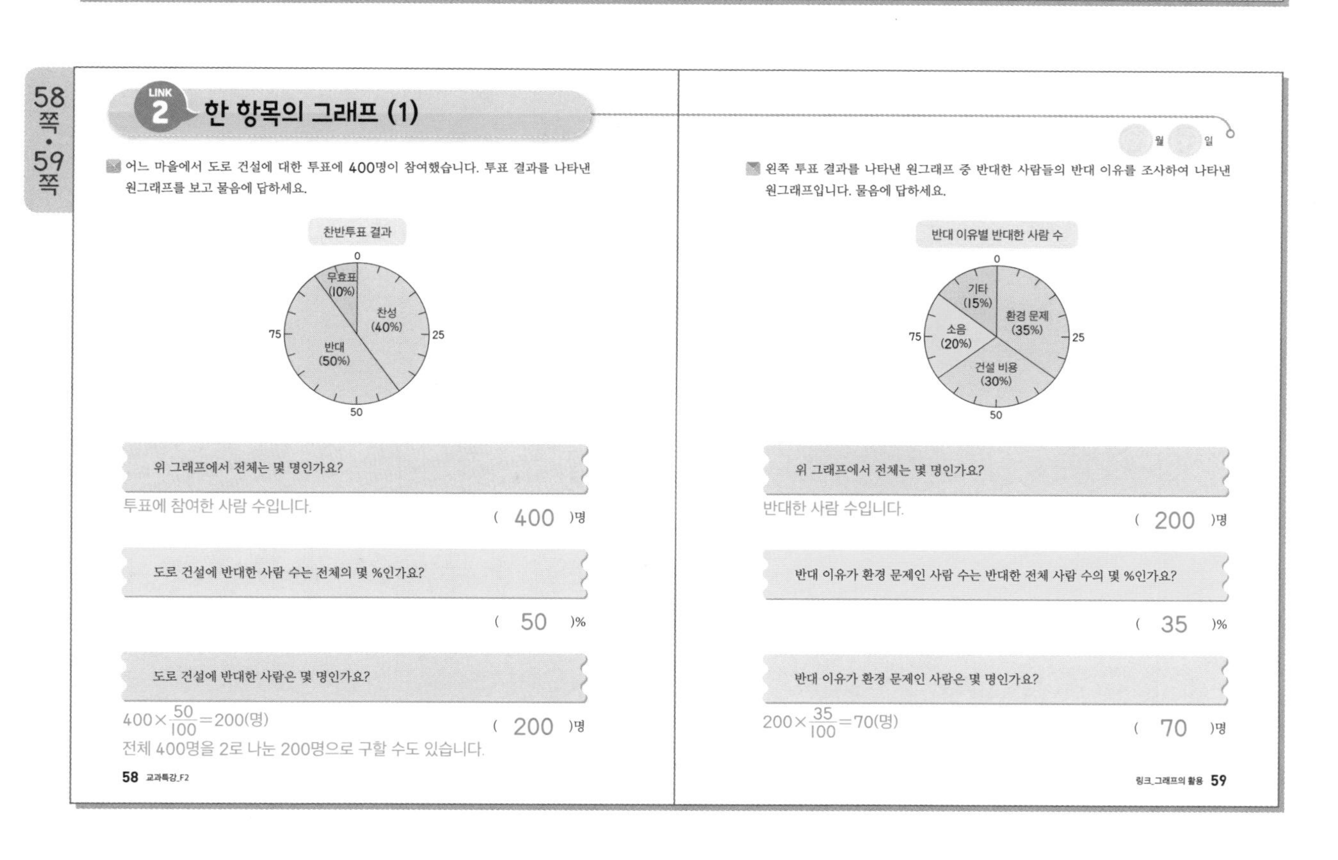
58쪽·59쪽

LINK 2 한 항목의 그래프 (1)

어느 마을에서 도로 건설에 대한 투표에 400명이 참여했습니다. 투표 결과를 나타낸 원그래프를 보고 물음에 답하세요.

찬반투표 결과: 찬성 (40%), 반대 (50%), 무효표 (10%)

위 그래프에서 전체는 몇 명인가요?

투표에 참여한 사람 수입니다. (400)명

도로 건설에 반대한 사람 수는 전체의 몇 %인가요?

(50)%

도로 건설에 반대한 사람은 몇 명인가요?

$400\times\frac{50}{100}=200$(명) (200)명

전체 400명을 2로 나눈 200명으로 구할 수도 있습니다.

58 교과특강_F2

월 일

왼쪽 투표 결과를 나타낸 원그래프 중 반대한 사람들의 반대 이유를 조사하여 나타낸 원그래프입니다. 물음에 답하세요.

반대 이유별 반대한 사람 수: 환경 문제 (35%), 건설 비용 (30%), 소음 (20%), 기타 (15%)

위 그래프에서 전체는 몇 명인가요?

반대한 사람 수입니다. (200)명

반대 이유가 환경 문제인 사람 수는 반대한 전체 사람 수의 몇 %인가요?

(35)%

반대 이유가 환경 문제인 사람은 몇 명인가요?

$200\times\frac{35}{100}=70$(명) (70)명

링크_그래프의 활용 59

LINK 3 한 항목의 그래프 (2)

유정이네 마을 사람 300명을 대상으로 걷기 대회 참가 여부와 참가한 사람들의 연령대를 조사하여 나타낸 그래프입니다. 빈칸에 알맞은 수를 써넣으세요.

걷기 대회 참가 여부

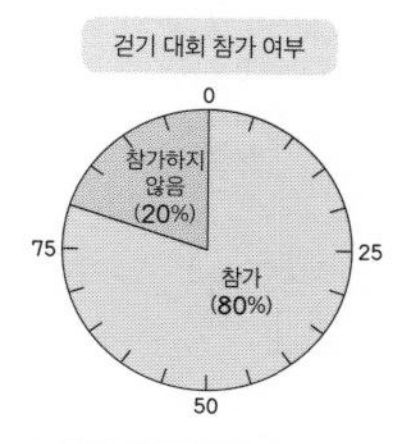

참가한 사람의 연령대별 사람 수

20세 미만 (20%)	20세 이상 40세 미만 (30%)	40세 이상 60세 미만 (35%)	60세 이상 (15%)

0 10 20 30 40 50 60 70 80 90 100 (%)

걷기 대회에 참가하지 않은 사람은 [60]명입니다.

$300\times\frac{20}{100}=60$(명), 전체 300명을 5로 나눈 60명으로 구할 수도 있습니다.

걷기 대회에 참가한 사람 수는 참가하지 않은 사람 수의 [4]배입니다.

80%는 20%의 4배입니다.

월 일

왼쪽 그래프를 보고 물음에 답하세요.

걷기 대회에 참가한 사람은 몇 명인가요?

$300\times\frac{80}{100}=240$(명) (240)명

60명의 4배인 240명으로 구할 수도 있습니다.

걷기 대회에 참가한 20세 미만은 참가한 전체 사람 수의 몇 %인가요?

(20)%

걷기 대회에 참가한 20세 미만은 몇 명인가요?

$240\times\frac{20}{100}=48$(명) (48)명

전체 240명을 5로 나눈 48명으로 구할 수도 있습니다.

걷기 대회에 참가한 40세 이상은 참가한 전체 사람 수의 몇 %인가요?

(50)%

걷기 대회에 참가한 40세 이상은 몇 명인가요?

$240\times\frac{50}{100}=120$(명) (120)명

전체 240명을 2로 나눈 120명으로 구할 수도 있습니다.

정답

형성평가

64쪽 · 65쪽

형성평가 1회

※ 가윤이네 학교 학생들이 좋아하는 분식을 조사하여 나타낸 원그래프입니다. 물음에 답하세요. (1-3)

좋아하는 분식별 학생 수

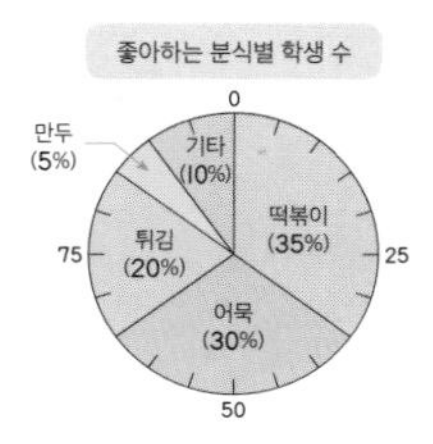

1 어묵을 좋아하는 학생 수는 전체의 몇 %일까요?

(30)%

2 가장 많은 학생들이 좋아하는 분식은 무엇일까요?

가장 높은 비율인 35%를 차지하는 떡볶이입니다. (떡볶이)

3 튀김을 좋아하는 학생이 60명이라면 만두를 좋아하는 학생은 몇 명일까요?

20%는 5%의 4배이므로 만두를 좋아하는 학생은 60명을 4로 나눈 15명입니다. (15)명

맞힌 문항 수: / 6문항

※ 글을 읽고 물음에 답하세요. (4-6)

해원이네 학교 학생들이 가고 싶은 체험 학습 장소를 조사하였더니 동물원 30%, 과학관 25%, 박물관 20%, 식물원 15%, 갯벌 7%, 미술관 3%입니다.

4 표를 완성해 보세요.

체험 학습 장소별 학생 수

장소	동물원	과학관	박물관	식물원	기타	합계
백분율(%)	30	25	20	15	10	100

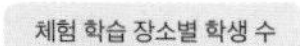

갯벌과 미술관을 묶어서 기타로 나타내었습니다.

5 4의 표를 보고 원그래프로 나타내어 보세요.

체험 학습 장소별 학생 수

6 과학관에 가고 싶은 학생이 65명이라면 조사한 전체 학생은 몇 명일까요?

100%는 25%의 4배이므로 전체 학생은 65명의 4배인 260명입니다. (260)명

66쪽 · 67쪽

형성평가 2회

※ 신발 가게에서 일주일 동안 팔린 신발을 조사하여 나타낸 표입니다. 물음에 답하세요. (1-3)

팔린 종류별 신발 수

종류	운동화	구두	슬리퍼	기타	합계
신발 수(켤레)	14	12	10	4	40
백분율(%)	35	30	25	10	100

1 위의 표를 완성해 보세요.

운동화: $\frac{14}{40}\times100=35(\%)$, 구두: $\frac{12}{40}\times100=30(\%)$, 슬리퍼: $\frac{10}{40}\times100=25(\%)$

2 위의 표를 띠그래프로 나타내어 보세요.

팔린 종류별 신발 수

0 10 20 30 40 50 60 70 80 90 100(%)

운동화 (35%)	구두 (30%)	슬리퍼 (25%)	기타 (10%)

3 팔린 구두 또는 슬리퍼 수는 전체의 몇 %일까요?

$30+25=55(\%)$ (55)%

맞힌 문항 수: / 6문항

※ 용재네 학교 학생들의 가족 구성원 수별 학생 수를 조사하여 나타낸 띠그래프입니다. 물음에 답하세요. (4-6)

가족 구성원 수별 학생 수

0 10 20 30 40 50 60 70 80 90 100(%)

3명 이하 (35%)	4명 (45%)	5명 (15%)	6명 이상 (5%)

4 가족 구성원 수가 4명인 학생 수는 5명인 학생 수의 몇 배일까요?

45%는 15%의 3배입니다. (3)배

5 전체 학생이 200명이라면 가족 구성원 수가 5명 이상인 학생은 몇 명일까요?

전체의 20%이므로 $200\times\frac{20}{100}=40$(명)입니다. (40)명

전체 200명을 5로 나눈 40명으로 구할 수도 있습니다.

6 띠그래프를 원그래프로 나타내어 보세요.

가족 구성원 수별 학생 수

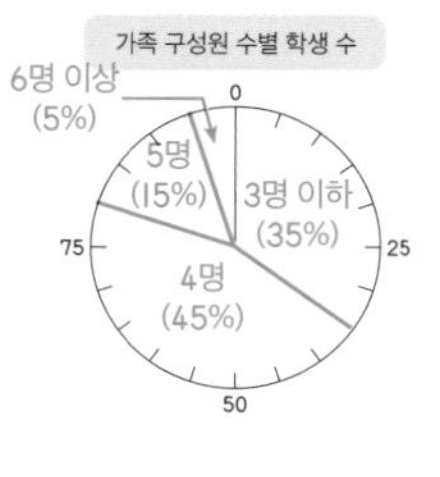

초등 수학 핵심파트 집중 완성 교과특강

"교과수학을 완성합니다."

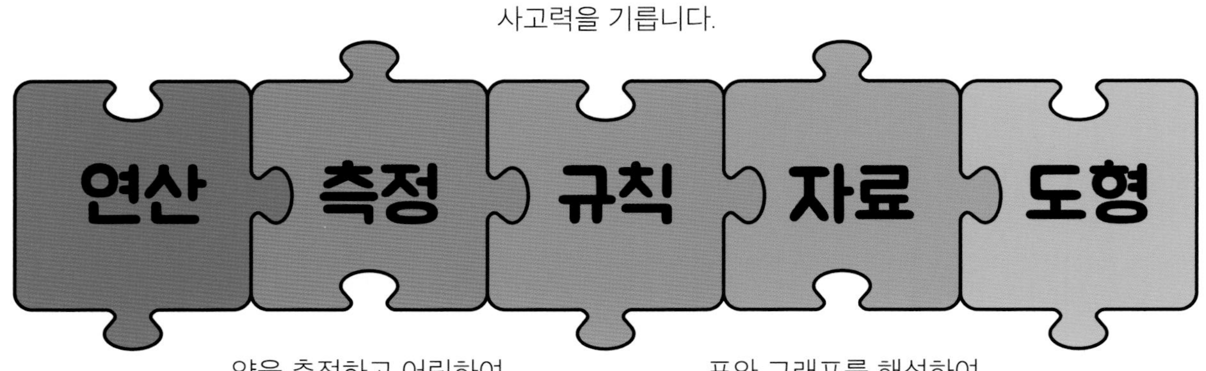